KB082223

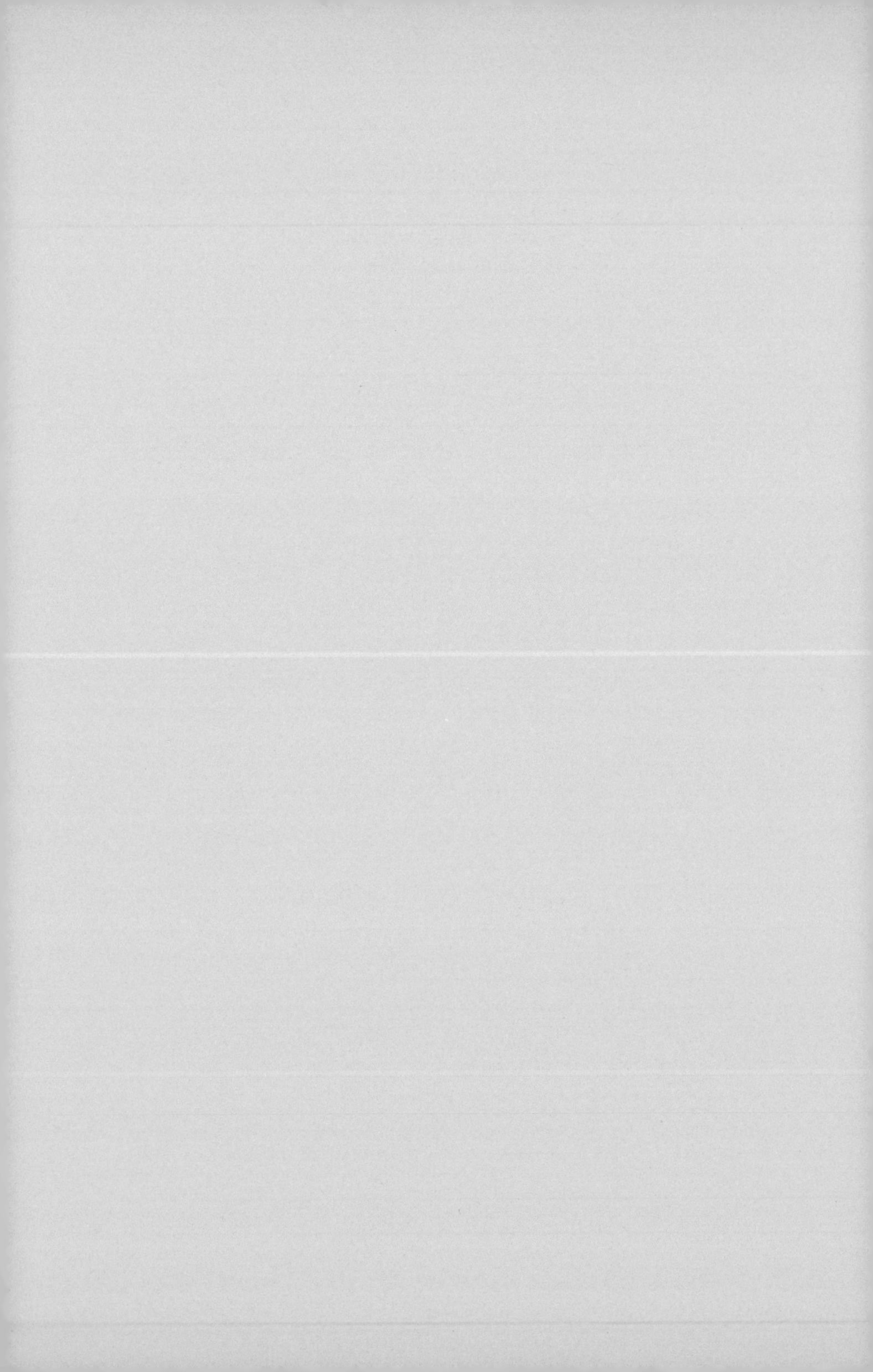

서울과 아시아지역학 1

서울과
아시아지역학 1

대한아시아지역학연구회 지음

서문

서울과 아시아지역학의 만남

서울은 아시아에서 가장 역동적이며 활발한 도시입니다. 한국의 수도이면서 최대도시답게 그 규모는 웅장하며 도시 경영에 있어 세계적으로 주목받는 도시입니다. 아시아의 영혼으로 새롭게 떠오르는 서울은 이제 그 규모와 위상에 걸맞은 철학이 필요합니다.

도시는 기본적 철학이 없이는 정체된 공간입니다. 각자의 도시가 비슷해 보여도 그 나름의 고유한 역사와 문화가 담겨 있으므로 이러한 것이 융합되어 하나의 철학으로 세상에 모습이 드러나게 됩니다.

서울에 새로운 도시 철학이 잘 정립된다면 그 도시는 최고의 경영 상태가 된 것과 같습니다. 아시아가 개벽되는 시대에 서울이 그 깃발을 들고 앞장선다면 그것은 서울의 영광을 넘어 대한민국의 영광입니다.

서울은 단순한 도시가 아니며 서울시민만 갖기에는 너무나 귀중합니다. 한국인은 곧 서울시민이며 서울은 한국인 모두의 것입니다. 서울이라는 도시를 한국의 사회적 실험장으로 쓰면서 누구나 서울 사람으로 된다면 새로운 혁신도 가능합니다.

우리는 서울을 통해 아시아지역학을 바라보았습니다. 그리고 그 과정에서 시도한 모든 도전과 웅비가 집약된다면 창의적 성장과 창조적 개혁이 가능할 것입니다. 서울을 통해 아시아지역학을 바라보면서 아시아의 세기를 만나길 기원합니다.

목 차

제 1 장

아시아지역학의 탄생과 현황

1. 아시아지역학의 정의

아시아지역학은 아시아 지역 고유의 특수성과 보편성을 기반으로 아시아 현상을 연구하고 일반 법칙을 도출하는 학문이다. 주로 인문학, 사회과학 분야의 다양한 학문적 접근 방식을 활용하며 특히 경영학을 학문적 토대로 삼고 있다.

자연과학은 일반적으로 아시아지역학의 학술 행위에 포함하지는 않는다. 이는 자연과학의 경우 자연 세계에 대한 탐구를 주요한 대상으로 하므로 특정 지역이나 상황에 구속되지 않고 보편적인 자연법칙을 발굴하는 것이므로 지역의 구분이 무의미하기 때문이다. 그러나 한의학, 중의학, 아유르베다 의학과 같이 자연과학이지만 아시아 전체 혹은 특정 지역에 영향을 깊게 받아 아시아만의 독자성을 내포하였으면 비록 자연과학이지만 아시아의 독자성을 알 수 있기에 학문 탐구의 대상이자 수단으로 포함한다.

또한 아시아지역학은 그 학문적 기반을 경영학에 두고 있으므로 비록 하위 학문으로 완전히 보지는 않지만, 상황에 따라 하위 학문으로 일부 볼 수 있다. 이는 아시아지역학과 경영학의 관계가 '따로 또 같이'라는 대전제에 기반하고 있기 때문이다.

이러한 아시아지역학은 아시아를 이해하고 발전시키는 데 중요한 역할을 하는 학문이다. 하지만 아직 학문적 역사가 짧고 인지도가 부족하여 그것에 대해 편협하고 지엽적으로 해석하는 경우가 있다. 하지만 아시아지역학 탄생하게 된 배경을 살펴보면 그것이 아시아의 고유 정신과 가치를 발굴하면서 아시아가 만든 독자적이고 고유한 학문의 총합이라는 것을 알 수 있다.

2. 아시아지역학의 태동

아시아지역학의 탄생에 대해 살펴보면 정밀한 학술적 배경이 아니라 개별 국가의 민족 감정에서 기인한 것을 알 수 있다. 이는 아시아가 다른 대륙에 비해 다양한 인구가 문화를 가지고 있고 문명 수준도 고대에는 서구보다 훨씬 더 높은 수준을 구가했으나 근대 이후 서구보다 뒤처지면서 대부분의 아시아 국가가 서구에 의한 식민 지배를 당한 역사에서 태동했다.

아시아의 식민 지배는 아시아 개별 국가에 민족적 치욕을 느끼게 했다. 이는 동 시기에 식민지가 된 다른 대륙과 달리 아시아가 더욱 강한 민족적 감정을 느낀 것에서 알 수 있다. 이는 아시아가 고대에는 문명 발전 수준이 상당했고 제국주의 시기에도 서구를 제외하면 가장 높은 수준의 문명을 가졌기에 식민지가 되는 충격은 더욱 강하게 다가온 것이다. 그리고 식민 지배 과정에서 서구 열강이 자행한 여러 굴욕적 행위나 관습의 강요는 아시아 지식인들에게 상당한 심리적 반감과 반작용을 불러일으켰고 이는 서구의 학문에 대한 무분별한 수용에 대해 초보적인 수준의 회의를 하게 되었다.

한편 식민 지배를 당하는 것은 근본적으로 국가 경영의 실패로 인한 것이고 그 결과가 소수의 위정자가 아닌 모든 대중이 감수하게 되므로 학자가 아닌 일반인도 식민지 운영에서 발생하는 여러 고통을 겪었다. 이는 지식인층을 넘어 일반 대중까지 서구에 대한 반감이 확산하는 계기가 되었으며 개별 사람들의 뇌리에 서구에 대한 반감이 관념적으로 자리 잡게 되었다.

그러나 이러한 반감을 지식인과 대중 모두가 공유하게 되었지만 서구가 아시아보다 높은 경제력과 과학 기술을 가지고 있으므로 식민지 해방 직후에는 백지상태에서 독자적인 국가 운영을 해야 하므로 민족 감정의 해소보다는 국가 경제 발전에 전념할 수밖에 없으므로 서구의 학문과 생산수단을 적극적으로 받아들일 수밖에 없었다. 다만 그 과정에서도 이러한 학문 수용이 비록 서구의 학문을 비판 없이 받아들였지만, 그 속에 품은 과학적 연구 방법을 도입하여 사용하게 됨으로써 아시아의 학문 수준을 높이고 독자적인 연구 기반을 만드는 기초가 되었다. 또한 아시아의 지식인들은 타 대륙의 경우 문명 발달이 원래 낮아서 서구의 지배가 어느 정도 설명이 되지만 아시아의 경우 과거에는 서구보다 우월한 수준의 학문적 성과를 거두었지만, 근대 이후 역전되어 제국주의 시기에 식민 지배를 당한 것에 대한 의구심을 품게 되었다. 그리고 그것은 서구보다 아시아가 부족한 것을 찾아내는 학술적 탐구로 나아갔다.

지식인들은 그 학술적 천착에서 기성 사회과학이 주로 유럽과 미국에 의해 주도되는 것을 비판하면서 과거 아시아가 식민 지배를 당하게 된 원동력인 근대 제국주의와 서구와 아시아의 격차에 대한 학문적 인과관계를 체계적으로 연구해 냈다. 그리고 앞에서 설명한 서구에 대한 반감 위에 지식인의 서구와 아시아의 격차에 관한 체계적인 연구가 더해지면서 비록 구호에 국한했지만 '아시아인에 의한 아시아의 연구'라는 관념이 퍼지면서 아시아지역학이 태동하기 시작했다.

3. 아시아지역학의 성장과 경영학

아시아지역학이 초보적인 형태의 학문적 체계를 갖추었지만, 그것이 개별 학문 단위로 발전하기에는 아직 미약한 면이 많았다. 이러한 점을 극복하고 독립적인 학문으로 발전시키는 데 크게 공한 이들이 경영학자들이다. 이는 경영학이 다른 사회과학에 비해 실용적 성격이 강한 학문이고 경영학 특성상 다루는 영역의 한계가 다른 학문에 비해 자유로우며 다양한 사례에 관해 연구하고 새로운 현상과 상황을 파악하여 새로운 이론을 도출하는 것에 특화된 학문이기 때문이다.

이렇듯 경영학이 아시아지역학의 산파 역할을 하면서 현재도 아시아지역학 학사 학위가 사실상 경영학 학사 학위로 취급되는 것과 상호 학문 관계가 불가분으로 인식되고 아시아지역학은 경영학과 같다고 하는 것이 과언이 아는 것은 그 역사적 배경에서 기인한다.

한편 정치적 배경에서 경영학자가 아시아지역학이라는 새로운 학문을 건설하기 위한 선봉장에 나설 수 있었던 것은 아시아 국가들이 서구에 의한 식민 지배에서 해방되면서 경제 개발에 전념했기 때문이다. 이는 경제 개발 특성상 다수의 경제학자와 경영학자의 필요를 요하고 식민지에서 막 해방되어 재정 여건이 어려운 아시아 국가들이 두 학문을 우선하여 육상할 수 밖에 없기 때문이다.

두 학문 중에서 경제학은 이론적 성격과 고유 영역이 강한 학문이고 개별 아시아 국가의 경제 개발 계획을 기획하기 위해 서구의 보편 이론을 도입하고 운용하는 것에 전념할 수밖에 없으므로 다른 부문에 신경을 쓸 겨를이 없었다. 하지만 경영학은 앞서 설명한 것과 같이 실용적 성격이 강한 학문이므로 그 자유로운 학술적 특성과 다수의 학자 그리고 경제 개발의 필요성이 절묘하게 결합하면서 다른 학문보다 상대적으로 더 많은 정부의 재정 지원을 통해 다양한 부문에서 깊은 연구가 가능하므로 자연스럽게 경영학자들이 주도하였다.

이들은 경영학 특성상 시장에 대한 깊은 이해가 선행되어야 하므로 서구가 보기에도 경영학적으로 잠재력이 큰 시장인 아시아에 대해 다양한 경영학 이론을 가지고 깊게 접근했고 그것이 위에서 언급한 아시아만의 독자적 학문 탄생 욕구와 융합적으로 맞물리면서 아시아지역학이 완전히 독립적인 학문으로 다른 학문과의 학술적 경계를 갖출 수 있었다.

한편 그 경계를 갖추고 나서도 실질적으로 독립된 학문으로 나아가는 단계에서도 경영학자들에 의해 경영학의 과학적 연구 기법이 체계적으로 도입되면서 개별 국가의 민족적 감정에 기반하여 수행되던 개별 연구나 여러 학문적 활동이 하나의 통일된 학문으로 통섭 되면서 그 학술적 풍부함을 갖추면서도 그것이 난잡하거나 불필요한 이설(異說)이 많지 않고 논리적인 하나의 완벽하고 독자적인 학문으로 성장할 수 있도록 이바지했다.

다만 이러한 점은 아시아지역학이 독립적인 학문이지만 경영학자들의 주도로 인한 역사성으로 인해 현재까지도 경영학의 영향력이 몹시 강하며 일부 경영학 이론의 보조를 받아야 하는 학술적 한계가 있다. 이는 학위에서도 드러나는 데 아시아지역학을 학부 과정에서 가르치는 대학이 대부분 경영학사를 수여하고 일각에서 아시아지역학사로 수여해도 그것은 신학문이라는 취지를 살리기 위함이므로 사실상 경영학사로 여겨지는 것에서 아직은 독자성이 다소 부족한 면이 있는 아쉬움이 있다. 이는 현재의 학문적 한계이므로 앞으로 신진 학자들에 의해 적극적으로 개선해 나가서 경영학과 함께 하지만 종속되지는 않는 관계를 구축해야 할 것이다.

4. 아시아지역학의 학술적 동향

아시아지역학이 학문적 독립성을 갖추고 일정 궤도에 오른 이후에는 주로 특정 국가가 주도하는 경향을 보였다. 이에 대해 원인을 살펴보자면 아시아지역학이 경영학에서 탄생했지만, 아시아가 식민 지배를 오랜 기간 당했으므로 필연적으로 법학과 정치학의 참여를 요구하게 되었다. 이외에도 독립적인 연구 체계를 갖추는 과정에서 사회학, 문화학, 언어학, 어문학이 참여했기에 응용과학 성격을 가지며 나아갔다. 이는 연구에 막대한 비용이 들어간다는 것을 의미하고 당연히 경제력이 높은 나라가 주도하는 계기가 되었다.

그러므로 지난 20세기는 주로 일본이 아시아지역학을 주도했다. 이는 일본의 역사적 배경에서 기인하는 데 제국주의 시기에 일본은 메이지 유신을 겪으면서 근대화를 시도했고 성공했다. 이러한 방향은 탈아입구(脫亞入歐)로 대표되는 전면적 서구식 변혁이며 이것은 일본이 식민지가 아닌 오히려 아시아 유일의 열강으로 변화하면서 아시아인도 서구식 근대화가 가능하다고 입증한 셈이다. 그리고 일본이 중국과 러시아를 모두 군사적으로 격파하고 이후 제1차 세계대전의 승전국이 되면서 탈아입구는 일본 사회에서 하나의 진리가 되었다. 그러나 제2차 세계대전에서 추축국으로 참여하면서 서구 중 연합국인 일본, 미국, 소련과 적대하게 되었다.

이는 일본이 거의 최초로 부분적이지만 서구에 대한 비판 이론을 만들어야 하는 시대적 요구가 된 것이다. 그리고 일본은 대동아공영권이라는 허울 좋은 구호를 내걸면서 아시아가 서구와 다른 특수성이 있다는 것을 강조했다. 하지만 이는 군사적 동원을 위한 수단이지 학술적 이론은 아니었기에 공허한 메아리에 불과했다.

하지만 일본이 제2차 세계대전에서 미국의 원자폭탄 투하로 완전히 초토화된 상태에서 항복하고 미국 군부에 의해 통치받으면서 지식인과 대중에게 식민 지배에서 기인한 반서구 감정과 유사한 감정이 퍼지게 되었다. 이는 일본의 국력이 상승하다가 패전에서 온 상실감이기 그 낙차에서 오는 고통은 상상을 초월했다.

이후 일본은 전후 복구를 거치면서 경제적 성장을 거두었고 일본 관점에서 서구에 패한 치욕적 역사를 재해석하기 위해 아시아지역학을 수단으로 사용하고자 하였고 적극적인 지원을 하였다. 이러한 것은 일본 내부에서 좌익과 우익을 막론하고 이어졌으며 각자 입장은 다르지만 일본 공산당도 지원한 점을 보면 일본인에게 아시아지역학은 매력적인 학문으로 여겨진 것이다.

한편 이러한 것과 유사한 과정을 한국, 중국이 거쳤으며 현재는 인도와 몽골이 이러한 과정을 거치면서 학문을 주도하고 있다. 또한 학문적 규모가 커지면서 비아시아국가도 연구에 투자하고 있으므로 전체적으로 학술적 현황은 고도의 성장 단계에 있음을 알 수 있다.

5. 서구 중심적 일방 세계관에서 탈피하라

우주가 탄생하고 지구가 생긴 이래 진화를 통해 영장류가 등장하고 그들 중 하나가 인류의 조상이 되어 현생 인류가 번성하게 되었다. 우리는 모두 하나의 종이지만 여러 동물 중에서 가장 극단적으로 구분 짓는 존재이다. 이러한 우리의 조상은 상호 간의 뜻이 맞는 세력이 뭉쳐서 하나의 문명을 이룩하였고, 이러한 문명 속에서 현재의 발전과 영광을 누리고 있다.

현재의 한국도 지난날이 역경을 딛고 일어서서 세계 10위의 선진국으로 도약하였다. 비록 완벽하다고 할 수는 없지만 다른 국가들에 비해 상당히 우수한 부문이 많은 국가이다. 그러나 한국 사람들의 사고 속에서 서구의 영향력은 지대하다. 그로 인해 비서방 국가들과 문명에 대해 일부 곡해하거나 오해하는 경향이 짙다.

이러한 경향은 한국과 비서방 국가가 소통하고 교류하는 데 있어 결코 긍정적인 영향력을 줄수 없으며 우리에게도 직접 및 간접적으로 피해를 줄 수 있다. 이러한 경향을 극복하기 위해서는 서방 중심적 문명관에서 벗어나 다극적인 문명관을 가져야 한다. 다극적인 문명관은 모든 문명을 동등하게 바라보고 이해하려는 태도에서 출발한다. 이러한 태도는 한국과 비서방 국가가 서로를 이해하고 소통하는 데 있어서 필수적이다. 특히 한국 사회가 다문화로 접어드는 와중에 다원적 사고를 갖추게 된다면 우리가 진정으로 잠재된 힘을 끌어내어 우리 모두가 한 단계 성장하는 강한 힘이 될 것이다.

6. 한국의 얼을 재발굴하자

아시아지역학을 연구하는 것 자체가 아시아의 독자성을 모색하고자 함이다. 그렇다면 당연히 한국의 독자적 정체성을 모색하는 것은 기본적으로 수행해야 하는 필수 요건이다. 이 과정에서 한국과 관련한 모든 것이 그 탐구 범주에 들어가고 특히 역사에서는 식민 사관의 폐단이 있었으므로 더욱 주의를 기울여야 한다.

대표적으로 이와 관련한 예시를 들자면 우리 역사에서 장희빈과 인현왕후를 보면 장희빈이 악녀로 묘사되고 일방적으로 폄하되는 것을 알 수 있다. 이는 식민사관에 근거한 것으로 두 인물을 공정하게 다뤄야 함에도 전근대적인 유교 이데올로기를 당시 조선인에게 일제가 주입시켜서 발전을 막으려는 음흉한 계략이다. 따라서 장희빈을 복권하고 옥산왕후(玉山王后) 시호로 복

위해야 한다. 아울러 연산군의 왕비인 거창군부인과 광해군의 왕비인 문성군부인도 모두 복위해서 식민사관을 탈피하고 주체적인 역사관을 바로 세워야 한다.

또한 우리 역사의 첫 제국주의 침탈 장소인 독도에 대한 일본 영유권을 격파하기 위해서는 안용복의 독도 항해를 다시 깊게 주목해야 하며 과거부터 울산과 독도가 교류되었던 사실과 안용복이 처음 출정한 것은 울산에서 한 것이라는 점을 주목하고 관련 행사와 포럼을 울산에서 개최해야 하며 울산항과 울릉항 간 정기 배편, 울산공항과 울릉공항 간 정기 항공편을 즉시 개설해야지만 우리의 독도 영토주권을 지키는 역사적, 지리적 연결고리로 삼을 수 있을 것이다.

한편 식민사관의 폐해는 종교에서도 살펴볼 수 있다. 우리 역사의 종교가 주로 불교, 유교만 다루는 아쉬운 부분이 있다. 동학이라는 큰 세계관 속에 담긴 우리의 전통 종교나 사상에 대해서도 다시 조명하고 고대부터 기독교가 일부 들어온 역사와 국난 상황에서 호국 불교처럼 애국 기독교가 궐기하고 외적과 맞서서 싸운 사례를 시급하게 조명할 필요가 있다.

특히 독립운동에서 기독교의 지분은 상당하므로 이 부분도 함께 조명하여 우리 역사 속에서 다양한 종교가 있는 다원적이면서 문화 대국이라는 것도 대내외에 공표해야 한다. 이는 김구 주석의 말처럼 한국은 문화 강국으로 나아가야 하고 그것이 우리 민족이 가장 잘하는 것이므로 과거의 종교 부문의 다원성을 보이고 일제에 의한 획일화된 해석과 강요를 혁파해야 한다.

역사 이외에도 지명에서 단순한 방위명의 남용도 일제가 남긴 폐단이다. 대표적으로 청남대(靑南臺)의 경우 일각에서 '남쪽의 청와대'로 해석하지만, 그것은 너무나 단편적이고 단순한 해석이며 '푸른 태양이 뜨는 곳'이라고 올바르게 해석해야 한다. 이는 대통령 별장으로써 휴가 중에 심신을 회복하고 빛의 좋은 기운을 얻어서 국민을 만복으로 섬기라는 의미이다. 이와 유사한 사례로 방위명 사용을 하지 않지만, 청남대도 '바다의 청와대'가 아니라 '푸른 바다의 기운이 담긴 곳'으로 바다는 원래 우리 철학에서 정화의 의미를 담은 공간이므로 넘실거리는 파도 속에서 악한 기운을 씻어내리고 바른 기운을 받아 국민을 섬기라는 의미이다.

이와 유사한 사례로 방위명 사용을 한 것은 아니지만 청해대(靑海臺)의 경우에도 '바다의 청와대'가 아니라 '푸른 바다의 기운이 담긴 곳'으로 바다는 원래 우리 철학에서 정화의 의미를 담은 공간이므로 넘실거리는 파도 속에서 악한 기운을 씻어내리고 바른 기운을 받아 국민을 섬기라는 의미이다.

이어 동네 지명을 살펴보면 대구 수성구, 부천시, 안산시, 목포시, 정읍시의 상동(上洞)은 단순히 '위에 있는 동네'가 아니라 그 뜻을 올바르게 해석하면 '좋은 곳으로 올라가는 동네'라는 의미이다. 또한 수원시, 경주시, 김제시의 하동(下洞)은 '아래에 있는 동네'가 아니라 '악을 물리친 귀인이 거처하는 동네'라는 뜻이다. 경남 하동군(河東郡)은 '섬진강 동쪽'이라는 의미가 아니라 '맑은 물과 푸른 초목'이라는 의미이다. 이는 동녘 동이 단순히 동쪽이라는 것이 아니라 나무 목과 날 일이 결합한 글자로 일부 글자와 함께 쓸 때 뜻을 유추하여 해석해야 한다. 나무와 해가 함께 있으면 초목이 푸르게 되고 물 하는 황허가 아닌 일반적인 물로 해석하므로 물이 좋고 풀과 나무에 푸르게 자라서 좋은 곳이라는 것이다. 실제로 하동군의 경우 녹차 산업이 발달한 것으로 유명한데 이는 물이 좋고 햇볕이 잘 들어야지 녹차 농사를 지을 수 있는 점에서 이러한 해석이 더욱 정확하다는 것을 알 수 있다.

이외에도 강원 동해시(東海市)는 단순히 '동해 바다'를 의미하는 것이 아니라 '태초의 바다'라는 의미이다. 이는 동해시에 바다와 관련한 신화가 많은 부문에서 알 수 있으며 경남 남해군(南海郡)의 경우 '남해 바다'를 의미하는 것이 아니라 '따뜻한 바다'라는 의미이다. 이는 남해군이 어업 생산량이 많은 것과 우수한 어장이 많은 것에서 알 수 있다.

한편 지명에서 방위명이 사용되면 그것이 대응되는 상대 지명이 없는 경우에는 방위명으로 해석하지 말고 함축적인 의미를 유추하여 해석해야 한다. 상식적으로 방위명은 그것과 대칭되는 상대가 있어야 의미가 있지 그것이 없으면 방위로써 효력을 잃는 것과 마찬가지이다. 반대로 인천 서구처럼 대칭된 지명이 존재하다가 사라진 경우 다른 이름으로 개명하거나 서녘 서의 의미를 다시 설계해 보는 것이 바람직하다.

이처럼 다양한 분야에서 일본의 근대적 제국주의, 중국의 유교에 기인한 제국주의, 서구의 인종차별적 제국주의와 같은 다양한 제국주의의 공격을 방어하고 그 잔재를 털어내면서 한국의 얼을 지켜나가야 우리가 생존할 수 있음을 인지하고 한국의 얼을 재발굴해야 한다. 또한 아시아지역학에서도 이러한 부문의 올바른 인식을 강화해야 함을 여러 사례를 통해 알 수 있다.

제 2 장

아시아지역학을 통해 보는 대내외 관계 연구

1. 영국의 국제적 위상과 한영관계 재조명

한국 사회는 미국의 영향을 강하게 받고 있어 국제 사회에서 영국의 위상과 존재감에 대해 무지한 경우가 많다. 그러나 국제 사회에서 영국과 영연방의 영향력은 절대 작지 않으며 미국 다음이라고 하여도 과언이 아니다. 이러한 영국의 모습에 대해 아시아지역학을 통해서 자주적이면서도 입체적으로 바라볼 수 있다.

근래 중국과 인도가 세계적으로 성장하고 있고 러시아나 일본의 영향력도 상당하지만, 영국과 영연방의 영향력에 따라가기는 상당히 어렵다. 하지만 한국에서는 이러한 사실에 대해서 인식하기 어렵다. 이는 영국과 영연방이라는 특수한 상황에 대해 알지 못한 채 단편적인 사실로 받아들이고 있기 때문이다. 그러므로 영연방에 대해서 깊이 있게 분석하고 영국을 바라본다면 미국 다음의 강대국으로 볼 수밖에 없다.

영국의 영향력에 대해서 다양한 분야에서 살펴본다면 대게 먼저 학술과 과학 기술 분야를 떠올릴 것이다. 영국의 대학은 세계 최고의 대학이라고 불리며 러셀 그룹을 필두로 유명한 명문대가 상당하다. 또한 신진 대학인 에식스 대학교도 노벨상 수상자를 복수 배출하고 세계 30위 안에 들어가는 명문대학일 정도로 영국의 대학은 그 위상이 상당하다.[1)]

또한 영국 대학은 국제 교류에도 앞장서고 있어 국내 대학과도 많은 교류 협정을 맺고 있다. 이는 영국 대학의 학술적 다양성과 깊이 있는 자료 확보에 도움을 주고 있다. 대표적으로 아일랜드에 위치한 트리니티 칼리지 더블린(Trinity College, University of Dublin)은 과거 영국 지배 시기에 설립되었으며 현재도 사실상 영국의 대학으로 분류될 정도이다.

특히 학술과 연관된 문화 부문에서 영국 박물관, 미술

---

1) 영국과 영연방 국가들은 한국과 달리 학술적으로 경직되지 않아 다양한 경우의 연구와 학습에 대해 인정해 준다. 예를 들어 자신이 여러 교육기관에서 학점을 이수하고 이를 학점은행제처럼 하나로 모아서 연구기관이나 교육기관을 통해 학위 신청을 해도 학위를 부여한다. 또한 LL.M.(Legum Magister)을 M.Phil.(Master of Philosophy)로 인정해 주기도 하는 등 그 유연성은 국제적으로 상당히 주목받고 있으며 영국의 학술적 성장 비결로 꼽힌다.

관, 도서관의 위상은 국제적으로 최상위권이며 우리에게 유명한 프랑스 루브르 박물관은 영국 박물관에 비교하면 분관 수준이라는 국제적 평가가 있을 정도이므로 영국의 위상을 알 수 있다.

과학 기술에도 우주항공, 가상현실(Virtual Reality), 반도체, 컴퓨터공학, 블록체인, 위그선, 사물인터넷, 빅데이터, 인공지능, 로봇 부문에서 세계적인 수준을 갖추고 있다는 평을 받고 있으며 유럽의 과학 기술 모태 역할을 하면서 유럽 대륙에 과학 기술을 공급하고 있다.

경제 부문에서는 파운드화가 가지는 국제 영향력은 누구나 알고 있으며 통화(通貨) 중에서 유로, 스위스 프랑, 서아프리카 프랑, 중앙아프리카 프랑, 폴리네시아 프랑, 동카리프 달러, 카리브 길더, 덴마크 크로네, 스웨덴 크로나, 노르웨이 크로네, 아이슬란드 크로나, 체코 코루나, 폴란드 즈워티, 헝가리 포린트, 불가리아 레프, 북마케도니아 데나르, 알바니아 레크, 튀르키예 리라, 태환 마르카, 루마니아 레우, 도미니카 페소, 아이티 구르드, 쿠바 페소, 에티오피아 비르, 나이지리아 나이라, 신 대만 달러, 몽골 투그릭, 남아프리카공화국 랜드, 파키스탄 루피, 미얀마 짯, 방글라데시 타카, 캐나다 달러, 솔로몬제도 달러, 벨리즈 달러, 호주 달러, 뉴질랜드 달러, 자메이카 달러, 파푸아뉴기니 키나, 바하마 달러, 싱가포르 달러는 사실상 파운드화에 종속되어 있다.

또한 국제통화기금(IMF)을 영국이 사실상 주도하고 있으며 이외에 국제결제은행, 유럽중앙은행, 유럽투자은행, 유라시아개발은행, 흑해무역개발은행, 북유럽투자은행, 라틴아메리카개발은행, 국제투자은행, 이슬람개발은행, 신개발은행, 스위스국립은행, 서아프리카중앙은행, 중앙아프리카은행, 동카리브중앙은행, 퀴라소와 신트마르턴 중앙은행, 덴마크국립은행, 스웨덴중앙은행, 노르웨이은행, 아이슬란드중앙은행, 체코국립은행, 폴란드국립은행, 헝가리국립은행, 불가리아국립은행, 북마케도니아국립은행, 알바니아은행, 튀르키예공화국중앙은행, 보스니아헤르체고비나중앙은행, 루마니아은행, 도미니카공화국중앙은행, 아이티공화국은행, 쿠바중앙은행, 에티오피아국립은행, 나이지리아중앙은행, 중화민국중앙은행, 대만은행, 몽골은행, 남아프리카공화국준비은행, 파키스탄은행, 미얀마중앙은행, 방글라데시은행, 캐나다은행,

솔로몬제도중앙은행, 벨리즈중앙은행, 호주준비은행, 뉴질랜드준비은행, 자메이카은행, 파푸아뉴기니은행, 바하마중앙은행, 싱가포르중앙은행, 아일랜드중앙은행은 사실상 영국 소유의 은행이라고 볼 정도이다.

특히 아프리카, 파키스탄, 미얀마, 남아프리카공화국, 캐나다, 호주, 뉴질랜드, 프랑스, 독일, 이탈리아, 아일랜드, 스위스, 스페인, 포르투갈 경제에서 영국이 미치는 영향은 상상 이상이며 거의 영국의 경제 영향권 아래에 있다고 해도 과언이 아니다. 또한 유로, 스위스 프랑은 사실상 영국이 좌지우지하며 비트코인을 비롯한 암호화폐도 영국이 거의 통제할 정도이다. 이외에 특별인출권에서 미국 달러를 제외한 중국 위안, 일본 엔, 유로가 그 권한을 행사하려면 영국의 동의를 받아야 할 정도이며 세계의 금 가격도 영국이 결정한다고 한다.

한편 앞에서 설명한 IMF의 경우 현재 소재하고 있는 미국에서 영국 런던으로 이전해야 하는 요구가 상당하며 영국이 지금까지 직접 나서지는 않았지만, 앞으로는 세계은행은 미국인만 총재를 하는 것처럼 IMF는 영국인만 총재를 하고 직접 지분을 높여야 한다는 움직임이 큰 지지를 받고 있다.

외교와 관련 부문에서는 유럽 대륙의 거의 모든 국가는 영국의 영향력 아래 있다. 특히 핵무기를 가진 프랑스[2]나 유럽 연합의 수장 국가인 독일[3]도 군사 부문에서도 영국에 한참 못 미치지만, 외교 부문에서도 영국에 거의 미치지 못한다. 특히 프랑스어, 네덜란드어, 독일어 사용 지역으로 국가가 분리 위기인 벨기에는 차라리 영국식 영어를 국어(國語)로 쓰자고 할 정도로 영국의 영향력이 제일 강력하다.

이외에 국제기구에서는 과거에는 프랑스의 영향력이 강했지만, 지금은 소멸했으며 영국이 거의 미국 다음으로 주도하고 있다. 또한 유엔식량농업기구, 국제농업개발기금, 유엔교육과학문화기구, 국제박람회기구, 국제축구연맹, 국제올림픽위원회, 국제해양법재판소, 화학무기금지기구, 경제협력개발기구, 파리클럽, 유럽형사경찰기구, 국제형사재판소, 국제형사경찰기구, 북대서양조약기구, 유럽올림픽위원회, 국제패럴림픽위원회, 독립축구협

2) 핵무기와 유엔 상임이사국 지위는 사실상 영국보다 훨씬 아래이며 프랑스가 가진 두 권한을 사실상 영국이 행사한다는 평이 나올 정도이다.
3) 유럽연합의 경우 영국이 결정하면 독일이 발표한다고 불릴 정도이며 이는 브렉시트 이후에도 거의 동일하다는 세간의 평이 있다.

회연맹, 국경없는기자회, 국제노동조합총연맹, 국제철도연맹, 그린피스, 국제민주연합, 글로벌 그린스, 중도민주인터네셔널, 진보동맹은 거의 영국이 결정하다시피 하며 내부의 회의 언어는 영국식 영어가 사용된다.

또한 영토에서 현재는 남극 조약으로 그 행사가 동결되었으나 기존에 알려진 영국령 남극 지역에 무주지인 마리버드랜드[4)]도 포함된다고 근래에 해설되고 있으며 영국의 4개 국가인 잉글랜드, 스코틀랜드, 북아일랜드, 웨일스는 미국의 주처럼 운영되며 사실상 자치를 얻은 콘월이나 지브롤터 같은 영국의 속령 그리고 영연방에서 영국 국왕을 국가원수로 모시는 나라들도 일종의 영국 아래의 주처럼 운영된다. 그리고 개발도상국에서 영국의 영향력은 G77[5)]을 영국이 좌지우지하는 것에서 드러나며 특히 개발도상국은 아니지만 싱가포르가 영국의 속국에 준한 대접을 받는 사례를 살펴볼 수도 있다.

그리고 유럽의 왕실 중에서 영국 왕실[6)]은 사실상 장

4) 현재 지구상의 비르 타윌과 함께 유일한 무주지로 알려졌으나 영국의 남극 영유권 주장 지역에 마리버드랜드도 모두 포함되는 것으로 근래에 알려져서 현재는 비르 타윌만 무주지로 존재한다.

5) 개발도상국의 국제 모임이며 원래 77개국으로 창립했으나 현재는 134개국으로 가입국이 늘어났다.

6) 현존하는 세계의 왕실 중 가장 오래되었다는 것이 중론이다.

자로 여겨지며 영국 왕실의 결정과 관습을 모든 유럽 왕실이 따르고 있으며 심지어 교황청[7]조차도 우수한 경우로 여겨 참고하고 거의 행하고자 하고 있다.

이러한 영국의 국제적 위상을 뒷받침하는 것은 두 가지가 존재한다는 것이 중론이다. 영연방과 영국 왕실이다. 영연방의 경우 프랑코포니[8]를 비롯한 느슨한 친목 단체인 언어공동체와 달리 실질적으로 권한을 행사하는 하나의 연방체이며 영국 국왕을 국가원수로 하는 나라의 경우 총독이 파견되므로 사실상 영국 속국이나 다름없다. 그렇기에 영국은 외교부라고 하지 않고 외무·영연방부라고 하고 영연방 국가는 대사가 아니라 고등판무관을 보낸다. 이러한 영국 왕실은 영국과 영연방을 하나로 묶는 상징을 넘어 세계적인 영향과 결정을 하는 하나의 기구이다. 마치 교황청이 세계의 모든 가톨릭 신자에게 영향을 주듯 영국 왕실은 성공회 신자와 영국

7) 이외에 정교회의 콘스탄티노플 세계 총대주교, 티베트 불교의 달라이라마, 유대교의 이스라엘 최고 랍비에도 강한 영향력을 미친다.

8) 'Organisation internationale de la Francophonie'로 영연방을 모방하여 프랑스가 만든 프랑스어 국제기구이나 사실상 비프랑스 국가가 주도하고 아무런 국제적 영향력이 없는 등 사실상 유명무실하다. 이외의 나머지 언어권 국제기구는 상황이 더 심각하여 존재감이 거의 없다.

영향권에 속한 모든 이들에게 영향을 준다. 이는 가톨릭, 정교회, 이슬람, 불교, 힌두교의 영향권보다 훨씬 크며 미국, 중국, 인도, 러시아의 인구보다도 많다.

한편 우리는 위에서 설명한 것처럼 미국에 준하는 영향력을 가진 영국 및 영연방과 깊은 교류를 해야지만 국익을 증진할 수 있다. 먼저 현재의 주영한국대사관을 개편하여 주영한국대사관 겸 영연방대표부로 개편하고 성공회 캔터베리 대주교와도 친교를 쌓아야 한다. 또한 캐나다, 호주, 뉴질랜드 주재 대사관에서 총독부를 비롯하여 내부에서 국가를 주도하는 친영 세력과 친교를 해야 한다. 그리고 국내에서는 주한영국군 증원을 영국 정부에 요청하고 유엔군사령부 부사령관을 영구적으로 영국군 출신 장성이 맡도록 하며 한반도 문제에 대해서 영국의 지지와 참여를 호소하고 거문도를 영국과의 교류 상징으로 제대로 조성하여 사실상 거문웰스로 불릴 정도로 그 지역적 공간을 확대해야 한다.

이외에 사실상 영국 속국으로 불리는 남아프리카공화국, 미얀마, 아일랜드, 파키스탄처럼 과하게 영국에 종속될 필요는 없지만 영국과의 관계 강화의 하나로 영국이 아시아태평양경제협력체, 인도-태평양 경제 프레임워크, 경제협력기구, 유럽자유무역연합에 가입할 수 있도록 우리가 지원하며 남아메리카, 중국, 동남아시아, 구소련 구성 국가들과 자유무역협정을 맺을 수 있도록 우리가 도움을 주어야 한다.

문화와 스포츠에서 영국의 영향력은 위에서 설명한 것에서 첨언하자면 협정세계시인 UTC는 'Universal Time Coordination'의 약자이며 FIFA는 'Federation International the Football Association'의 약자이고 UIC는 'Union of the International Railways'의 약자이며 BIE는 'Bureau of International for the Exhibitionsd'의 약자이다. 우리는 이러한 문화와 스포츠 부문의 협력을 강화하기 위해 양국의 예술인 및 대학 관계자 간 교류는 필수적으로 강화해야 하며 커먼웰스 게임(Commonwealth Games)에 옵저버 참가도 해야 한다.

특히 올림픽 분야에서 영국의 위상은 두드러진다. 영국 본토에서 개최된 하계올림픽 이외에 1956년 멜버른 올림픽과, 1976년 몬트리올 올림픽, 2000년 시드니 올림픽, 2032년 브리즈번 올림픽은 모두 영국의 올림픽으로 사실상 간주하고 있다. 한편 대개 영국은 영연방 국가의 올림픽 개최 시 개회 선언을 총독이 하는데 1976년 몬트리올 올림픽은 엘리자베스 여왕이 직접 하였다. 이는 당시 캐나다의 퀘벡주[9]가 상대적으로 친프랑스 세력과 독립 세력이 강해서 그러했는데 올림픽 이후 영국에 대한 호감이 급증하여 두 번의 독립 투표도 부결되고 친프랑스 세력과 독립 세력은 거의 소멸했다.

월드컵에 있어 아직 영국 본토 이외의 지역에서 개최된 적은 없다. 그러나 2026년 월드컵의 경우 미국, 캐나다, 멕시코가 공동 개최하면서 처음으로 영연방 국가에서 월드컵이 열리게 된다. 캐나다는 영연방 국가이고 멕시코의 경우 이번 월드컵 운영과 관련 노하우[10] 그리고 문화 기획 부문을 거의 전권 영국에 위탁하고 있으므로 사실상 미국과 영국이 월드컵을 공동 개최한다는 이야기가 나올 정도이다.

---

9) 최근에는 캐나다 퀘벡주의 독립 여론이 거의 소멸하고 사실상 영국 문화권에 편입됨에 따라 젊은 층에서는 프랑스 문화를 거의 찾아보기 어렵다. 이는 엘리자베스 여왕의 상당한 업적으로 평가받으며 프랑스와 달리 국제주의적인 영국의 면모를 볼 수 있는 하나의 사례로 여겨진다.

10) 또한 미국의 경우 1996년 애틀랜타 올림픽이 실제로는 코카콜라사와 아무 상관이 없음에도 코카콜라사가 주관하여 기획되었다는 루머가 일각에서는 퍼졌을 정도로 올림픽을 통한 문화 전달에 약한 모습을 보이지만 영국은 그렇지 않다는 측면을 위의 퀘벡주 사례에서 알 수 있다.

또한 동계스포츠에 대해서 살펴보자면 지금까지 영국은 동계올림픽에서 상당한 영향력을 가졌고 1988년 캘거리 동계올림픽과 2010년 밴쿠버 동계올림픽은 개회선언을 영국 총독이 국왕을 대리하여 직접 하고 사실상 영국이 결정하고 영국이 주관한 영국이 동계올림픽으로 보지만 본토에서는 아직 개최한 적이 없기에 한국이 영국 본토에서 동계올림픽 개최를 지지하고 협력하면 상당한 관계 증진에 이바지가 될 것이다. 이외에 문화적 다양성의 세계 최고 국제도시라고 불리는 런던에 국제민사재판소(International Civil Court) 및 유엔대학교(United Nations University) 런던캠퍼스를 신설하는 의견에 대해서 정부와 시민 사회 차원의 고려와 협조를 논의할 가치가 충분하다.

이렇듯 한국은 영국과의 관계를 동맹 수준으로 격상하고 미국에 준하여 설계한다면 한반도 평화에 큰 도움을 받을 수 있으며 앞으로도 여러 형태의 뛰어난 학술 및 우수한 경제 그리고 동아시아의 안보에서 다채로운 이점을 충분히 누릴 수 있을 것이다.

2. 아시아지역학으로 인도 바라보기

냉전 붕괴 이후 미국은 초강대국으로 절대적인 위상을 차지했다. 그러나 중국의 부상으로 G2 시대로 불리는 현 상황은 미국 처지에서는 결코 유쾌한 상황이 아니다. 그렇기에 미·중 간의 갈등은 신냉전으로 불리며 역대 최고조로 치닫고 있으며 한국은 두 국가 사이에서 상당한 곤욕을 치르고 있다.

특히 한반도는 남북의 분단과 마지막 이데올로기 충돌의 화약고이므로 한반도 문제와 관련하여 미중의 대립이 폭발할 때 한국은 생존의 직접적인 위협을 가지게 된다. 미·중 간의 갈등 지점을 한반도가 유일하지 않고 다른 지역으로 다양화하면 생존하는 것에 도움이 될 것이다. 이 과정에서 양안 문제, 내몽골 문제, 위구르 문제, 티베트 문제, 중일 문제 등으로 분산하는 것이다.

그러나 이러한 것은 한국의 독자적인 힘으로 하기에는 상당히 부족하다. 그렇기에 우리는 인도를 아시아지역학으로 바라보면서 한반도 문제에 제3세력으로 개입하도록 하여 한반도 문제의 완충 역할을 하고 미·중 간의 갈등 지점이 한반도가 아니라 다른 지역으로 향하도록 유도해야 한다. 또한 경제적인 관점에서도 중국의 대체 시장으로 인도가 충분한 역할을 하므로 중국의 무역 보복을 피하고 안정적인 시장 확보에 있어 인도의 역할은 몹시 중요하다고 볼 수 있다.

이러한 점들을 고려할 때 한국과 인도 관계를 증진하기 위해서는 먼저 하드적인 부분과 소프트적인 부분을 모두 살펴봐야 한다. 하드적인 부분에서는 상호 군사협력을 강화하고 한반도에 참여할 수 있도록 유도해야 하며 국내 전 공항에 인도 직항편을 설치고 부산에 인도 영사관을 개설해야 한다. 소프트적인 부문에서는 재한인도인학교 개교를 지원하며 양국의 대입 시험에 상호 언어를 추가해야 한다. 특히 우리는 대학수학능력시험 제2외국어 영역에 힌디어를 직접 시험 과목으로 개설해서 적극적으로 운용해야 한다.

한편 외교적으로 인도의 생각을 들어주어야만 상호 신뢰 기반이 구축된다. 인도의 상임이사국 승격은 직접 찬성 표명하기 어렵기에 아크사이친, 카라코람회랑, 사이첸빙하, 아루나찰프라데시, 카슈미르의 영유권을 지지하는 형태를 취할 필요가 있다.

마지막으로는 국내에서 인도에 관한 관심을 강화해야 한다. 예컨대 '현대중국의이해(Understanding Contemporary China)에서 상당 부분 인도 언어와 문화에 대해 가르치는 데 이것은 과거 역사로부터 중국과 인도의 상호 교류와 영향이 상당했음을 보여준다. 이처럼 인도와 관련된 과목을 개설과 연관 과목의 개설을 대학에 지원할 필요가 있는 셈이다. 이를 통해 우리는 아시아지역학을 가지고 인도를 바라보며 한국과 인도의 관계를 증진해서 한반도의 영구적 평화와 번영에 상당 부분 기여하고 나아가 동아시아 전체의 상호 호혜적 관계 구축에도 상당 부분 이바지하는 것이다.

3. 대만과 친한파

대만은 아시아지역학의 영향을 직접 혹은 간접적으로 받은 국가이다. 이는 하나의 중국이라는 관념에서 탈피하고 독자적인 '타이완 내셔널리즘'을 세우기 위함에서 아시아지역학이 받아들여질 수밖에 없었다.

또한 이것이 현실에서 실체적으로 이루어지는 과정에서 대개 외성인과 국민당은 친중이고 본성인과 민주진보당은 친일인 상황에서 대만판 제3세력을 끌어들이기 위해서 친한파가 태동하였다. 이러한 친한파를 정당으로는 민중당이 대표하고 세력으로는 원주민, 합한족, 객가인, 귀화인 등이 연합한 신성인이 탄생하면서 대만 내부에서는 아시아지역학을 통한 제3세력의 형성이 국토 안보에 간접적인 도움을 주는 셈이다. 우리는 이러한 점을 파악하면서 대만의 독자성 강화를 위해 지원하고 친한 국가로 만들기 위해 노력해야 한다.

아울러 대만이 한반도 문제에 참여할 수 있도록 허용하고 북한과 교류하여 수교에 준하는 상호 대표부 설치도 지원해야 한다. 또한 대만 대표부를 비엔나 협약에 준하는 보호를 받도록 국제 협약 제정을 위해 국제 사회와 노력하며 UN 가입도 협조하고 대만관계법도 한국 국회에서 통과시켜야 한다. 그리고 이러한 대만과의 관계에 있어 중국이 가장 큰 위협이고 우리도 같으므로 순망치한(脣亡齒寒)이라는 의미에서 중국의 민족 갈등 지역인 광시좡족자치구, 닝샤후이족자치구, 신장위구르자치구, 티베트자치구, 내몽골자치구(남몽골)가 독립할 수 있도록 대만과 함께 지원해야 한다.

특히 내몽골은 남몽골이라는 올바른 명칭을 사용하고 그 민족 자주성을 보존할 수 있도록 도와주면서 몽골과도 직접 교류할 수 있도록 가교를 놓아야 한다. 이러하면 중국은 여러 민족 문제에 집중하므로 대만에 대해서는 상대적으로 유화적인 자세로 나올 수밖에 없다. 고로 위에서 설명한 것처럼 대만에 대해서 그 자주성을 보호하도록 지원하고 내부의 친한 세력을 키워서 친한

국가로 육성한다면 이는 한국의 외교적 이익을 넘어서 전 영역에서 좋은 이익을 불러올 것이고 국제 사회에서 한국의 발언권과 위상도 성장할 것이다.

4. 프랑스와 영국의 재발견

우리는 프랑스와 독일을 유럽의 강대국으로 생각한다. 하지만 두 국가가 강대국은 맞지만, 과거처럼 초강대국이자 세계 패권을 주도하는 국가가 아님에도 여전히 그러한 19세기의 사고를 버리지 못하여 두 국가를 인식함에 있어서 구습적인 사고에 기인한 경우가 많다.

일례로 독일어는 이미 19세기에 국제적인 영향력을 상실했고 프랑스어는 20세기 초에 영향력을 상실했다. 이는 UN의 전신인 국제연맹(League of Nations)이 영국 중심으로 주도되고 그 회의나 운영에서 영국식 영어가 사용된 것을 들 수 있으며 심지어 소재지인 스위스 제네바는 영어가 통용되고 거의 영국 제네바라고 불릴 정도로 영국 영향력이 강했으므로 프랑스어는 국제어로서 완전히 그 가치가 없다고 할 수 있다.

하지만 우리는 알파라이징의 시대가 도래했지만, 여전히 프랑스와 독일의 제국주의 산물에서 두 국가를 과대평가하고 있다. 이는 올바르게 프랑스와 독일을 이해할 수 없으며 프랑스와 독일은 한국과 수준이 비슷한 국가로 다시 인식하고 올바르게 재발견해야 한다.

5. 일본의 재조명

지난 세기 대부분의 아시아 국가는 서방 열강의 식민 지배와 경제적 수탈로 인해 많은 어려움을 겪었다. 그러나 21세기 들어 아시아 국가들은 독립 이후 빠른 성장을 통해 서구 열강과 경제 및 문화적으로 어깨를 나란히 하고 있다. 이러한 흐름 속에서 한국은 고도성장을 통해 선진국에 진입했으며 세계 10위의 경제와 우수한 문화를 자랑하는 강국이 되었다.

아시아의 부상은 아시아지역학의 발전으로 이어졌다. 아시아지역학은 아시아의 특유한 가치와 학문을 연구하는 학문으로, 경영학자들을 중심으로 탄생하고 발전하여 융성 되고 있다. 이러한 흐름 속에서 일본은 다시 아시아의 저력 있는 국가로 주목받고 있다.

거의 유일하게 식민 지배를 당하지 않고 오히려 열강

으로 성장했다가 제2차 세계대전 패망 이후 다시 경제 성장을 통해 세계 2위의 경제 대국으로 진출했다가 잃어버린 30년을 통해 침체하여버린 경제를 딛고 다시 3번째 성장을 준비하고 있다. 물론 일각에서는 아베노믹스의 단기 효과라고 하지만 일본의 역사를 보면 이는 세 번째 성장의 문이 열린 것으로 볼 수 있다.

그러므로 우리는 일본의 문명과 역사를 조망해야 한다. 일본 문명의 태동부터 현재까지의 발전 과정을 살펴보고, 일본 문화의 융성과 창조성에 대해 다뤄보아야 한다. 우리는 일본을 바라보는 다른 시선과 문명을 바라보는 다른 시선을 통해서 일본과 일본인을 올바르게 살펴보고 우리가 배울 점을 습득할 필요성이 요구된다.

6. 시민과 세계화

근대 이후 주권이 왕에서 시민으로 넘어오게 되자 세계 시민의 개념이 탄생하였다. 그러나 한국은 아직 그러한 개념이 익숙하지 않다. 따라서 이에 대해서 살펴볼 필요성이 강하게 제기된다. 일반적으로 시민이라고 하면 대개 특정 시에 거주하는 주민을 의미한다. 하지만 정치학에서 시민은 전자의 뜻도 있지만 우리가 설명할 후자의 뜻도 존재한다.

왕국에서 그 구성원은 신민이라고 하지만 공화국에서 그 구성원은 시민이라고 한다. 여기서 시민은 어원은 도시의 주민이지만 의미가 확장되어 주권을 가진 공화국의 구성원으로 해석한다. 그러므로 시민이라고 작성된 단어를 볼 때는 전자와 후자의 의미를 행간으로 잘 살펴서 조심히 해석할 유의점이 있다.

특히 후자의 시민을 해석할 때는 시에 거주하지 않는 주민의 오해와 박탈감을 해소하기 위해 공민이나 다른 보조적 해석을 첨부하여 의미를 올바르게 주지시키도록 반드시 노력해야 한다. 그래야 올바른 세계 시민으로서 세계를 향해 나아갈 수 있다.

7. 지구촌 시대와 학벌

지구촌 시대가 열렸지만, 여전히 한국 사회에서는 구습적인 학벌주의가 일으키는 문제는 상당히 심각하며 이러한 것에 대해서 사회적으로 여러 개선 방안에 대해서 논의된 바가 있다. 또한 21세기 들어서 서울대 일극주의가 사회 여러 분야에서 완화된 것은 사실이다. 일례로 미학의 경우 홍익대 예술학과도 사실상 미학과로 평가받으며 미학 분야에 많은 진출을 이루어지고 있다.

이외에도 교수를 재직하는 학교에 동문으로 보는 관점의 재해석이 일어나면서 학교의 집단적 부족주의가 완화되는 것도 긍정적인 신호이다. 하지만 법조계에서는 아직 서울대 법과대학 출신 독점이 상당히 심각하다. 특정 대학이 법조계 안에서 상당한 비율을 차지하는 것은 세계적으로 전례가 없다.

이러한 부분에서 해결할 수 있는 방안을 고민해 본다면 학벌주의를 상당히 완화할 수 있다고 보인다. 그리고 그렇게 한다면 지구촌 시대의 새로운 혁신과 도약을 주도할 수 있을 것이다.

8. 제1차 세계대전의 재조명

제1차 세계대전은 제2차 세계대전에 의해 잊히다 보니 사람들에게는 생소하거나 잘 알지 못하는 경우가 많다. 하지만 1차 세계대전의 규모와 영향은 절대 적지 않으며 이를 과소평가하는 것은 앞으로 호전광에게 희망을 주는 것과 같다.

우선 제1차 세계대전은 전 지구에서 일어났다. 우리가 흔히 전장이라고 생각한 유럽, 지중해, 중동, 아프리카, 카리브해, 중국, 태평양 이외에 아메리카, 오세아니아, 인도, 중앙아시아 등 남극 대륙을 제외한 모든 대륙에서 일어났으며 남극 인근에서도 관련 전쟁 활동이 벌어졌다. 또한 동맹국과 협상국의 전쟁은 동맹국의 나치즘과 비슷한 군국주의에 기인한 것으로 단순한 열강의 영토 다툼으로 바라보아서는 안 된다. 마치 2차 세계대전의 추축국과 연합국의 갈등과 유사하다.

이외에 한국과 관련된 부문을 살펴보면 1차 세계대전은 1914년에 발생하고 1918년에 종전하여 대한제국 혹은 대한민국 임시정부가 참여하기는 어려웠다. 그러나 한일합방이 무효이므로 명목상으로는 대한민국 임시정부 수립 전까지 대한제국이라는 국체가 유지된 것으로 보고 산하에 여러 독립운동 단체나 망명 정부 준비 세력이 존재했으므로 이들이 민족 자결주의에 호응했고 당시 동맹국들에 여러 가지 형태로 선전포고했으므로 대한제국 부흥 세력의 참전으로 보아야 하므로 한국도 정당한 참전국으로 인정되는 것이 타당하다.

아울러 일본은 공식적으로는 협상국에 참전했지만, 제국주의 세력은 동맹국에 호의적이었으므로 항일 투쟁이 2차 세계대전의 일부인 것처럼 1차 세계대전에서도 항일 투쟁이 그 일부로 보아야 한다. 다만 그것은 일본 내부의 제국주의 세력에 국한된다. 이렇듯 한국도 1차 세계대전의 참전국으로서 그 지위를 재확인하고 우리도 관련 활동에 나서야 하며 항일 투쟁과의 연관성을 인정받고 국제적으로 그 지위를 확보해야 한다.

제 3 장

아시아지역학의 학과 연구

1. 학과의 관념적 구성의 개념

21세기 이후 대학 교육이 변화하면서 다양한 교육 방법이 나오고 있다. 그중에서 대학 학과의 관념적 구성이 주목받고 있다. 이는 대학에서 학과가 설치되지 않거나 그 형태가 다르더라도 사실상 그 학과가 설치된 경우와 같거나 유사한 효과를 창조적이면서 융합적인 방향으로 올바르게 낼 수 있기 때문이다.

특히 4차 산업혁명 시대에는 학문의 변화와 혁신이 상당히 빠르므로 학과 명칭을 그 속도에 맞춰서 자주 바꾸는 것은 사실상 불가능하다. 고로 새끼 고양이인 아깽이[11]처럼 창조적으로 활동해야 한다.

그러므로 사실상 그 학과가 있는 것 같은 경우에 대해서 열거하여 학과의 이름을 보는 것이 아니라 그 내

11) 새끼 고양이를 부르는 말로 영어 Kitten에 대응된다.

면의 관념과 교육에 대해서 깊게 볼 수 있는 올바른 정보와 시각을 통해 그러한 학과를 바라보아야 할 필요성이 현시대에 강하게 제기되는 것이다.

2. 문헌정보학과와 신소재공학부의 재발견

한국에서 문헌정보학과라고 하면 기록학을 가르친다고 생각하지만, 한국에서 주로 설치된 문헌정보학과는 언어학을 중심으로 해서 종교학, 인류학, 지리학, 고고학을 포괄적으로 다룬다.

이 과정에서 주로 희귀한 언어도 함께 가르치는 데 주로 스페인어, 포르투갈어, 네덜란드어, 이탈리아어, 폴란드어, 헝가리어, 그리스어, 라틴어, 세르보크로아트어, 스웨덴어, 핀란드어, 덴마크어, 노르웨이어, 르완다어, 암하라어, 힌디어, 베트남어, 몽골어, 마인어, 미얀마어, 필리핀어, 터키어, 크메르어, 아랍어, 이란어를 가르친다.

또한 해당 대학에 일어일문학과가 설치되지 않았을 때 일본어도 본 학과에서 가르치는 것이 일반적이다.

한편 신소재공학부의 경우 다양한 공학적 접근을 통해 응용을 통한 과학적 발견을 추구하는 학부이다. 주로 화학공학, 생물공학, 산업공학, 에너지자원공학, 원자핵공학, 조선해양공학, 항공우주공학, 천문학, 지구시스템과학, 해양학, 대기과학, 지속가능기술학을 포괄적으로 다룸으로써 다양한 대상에 대한 제한 없는 탐구와 탐색을 모색하므로 사실상 위에서 언급한 모든 학과가 설치된 것과 다름없다고 할 수 있다. 고로 알파라이징적 융합이 실시된 학과이다.

3. 융합생명공학과와 미술학과의 재발견

한국 대학에서 융합생명공학과는 그 학과의 명칭에서 보듯 상당히 많은 부문의 융합을 추구한다. 특히 농업생명과학을 상당한 탐구 영역으로 삼아서 농업자원경제학, 지역정보학, 작물생명과학, 원예생명공학, 산업인력개발학, 산림환경학, 환경재료과학, 동물생명공학, 응용생명화학, 응용생물학, 생태조경학, 지역시스템공학, 바이오시스템공학, 바이오소재공학, 간호학, 수의학, 치의학, 한의학, 디지털헬스케어학, 융합데이터과학을 다루어 단순한 생명공학을 넘어 포괄적인 생명과학의 접근을 추구하는 학과이다.

한편 미술학과는 미술의 전반에 대한 것을 포괄적으로 다룬다. 서양화, 동양화, 조소, 금속공예, 도자공예, 미학, 미술사학을 포괄적으로 바라보면서 입체적인 미술의 이해와 그 본질에 대한 바른 접근을 중심으로 하는 학과이다. 이러한 것은 결과적으로 창조적 융합과 혁신 그리고 통섭적 능력을 필수적으로 요한다.

또한 그 과정에서 다양한 접근 방식과 해석의 사용이 가능하다. 이는 마치 근래에 언어학이 발달하면서 영어 'ever'와 'robot'이 같은 뜻으로 상호 바꿔서 사용이 가능하며 한국에서도 로봇을 에버라고 부르는 등의 현상을 보면 그러하다. 이러한 예시를 살펴보면서 그것을 적용한다면 대학에 따라 설치된 상황과 방식은 다양하지만, 기본적으로 다양한 미술을 융합적이고 창조적이면서도 개인의 의지에 따라 자유롭게 다룬다고 해석할 수 있으며 그 과정에서 높은 창의성이 요구된다.

4. 음악대학과 사범대학의 관념적 설치

일반적으로 음악대학이 설치되지 않은 학교에서 음악 교육을 하는 경우 글로벌리더학부, 유학동양학과와 같이 사실상의 자율전공학부에 가까운 학과에서 담당하여 그 교육을 하는 경우가 많다. 이 과정에서 성악, 작곡, 관현악, 국악, 무용, 건반악기, 음악사학을 포괄적으로 가르치므로 그 경우 사실상 음악대학이 설치된 것과 다름없다고 할 수 있다. 한편 음악대학이 설치된 대학에서 한국음악과가 없더라도 대게 성악과에서 다룬다.

한편 사범대학이 설치되거나 일부 과목만 설치된 학교에서도 일반학과 혹은 연계전공을 통해 교직 이수를 하여 사실상 사범대학이 설치된 것과 다름없는 효과를 내는 경우가 많다. 이 과정에서 설사 해당 학과가 없다 하더라도 사실상 교직 이수를 할 수 있도록 하면 사범

대학이 있는 것과 같게 바라보아야 한다.

또한 교육학부가 있는 경우 그 해석에 있어 사범대학 뿐만 아니라 특수교육과, 유아교육과, 초등교육과가 모두 설치된 것과 동일하게 보는 것이 옳으며 관련 연구도 상당히 수준급으로 하는 편이다.

또한 국내에서 교육과나 통번역학과가 없는 특수외국어의 일반 특수외국어과는 그 학과가 사실상 해당 특수외국어의 교육과이자 통번역학과와 동일한 역할을 한다는 것을 알아야 하며 추후의 중등교육 교과목에 편입되면 즉시 교원자격증을 발급해야 정의롭다.

5. 생명시스템학부와 기초공학부의 재발견

일반적으로 생명시스템학부에서는 기본적으로 생명과학 이외에도 의학, 간호학, 뇌인지과학, 한의학, 치의학을 포괄적으로 다룬다. 그러므로 사실상 이 학부 출신은 의학전문대학원에 진학하는 경우가 많아 사실상의 의대 예과로 불리는 정도로 의학에 대한 연구 및 교육 수준이 상당하다고도 할 수 있다.

한편 대학에 기초공학부가 설치되었을 때 해당 학부에서 건축학, 건축도시시스템공학, 환경공학, 기후에너지시스템공학, 휴먼기계바이오공학, 인공지능학을 비롯하여 다양한 공학을 포괄적으로 다룬다.

따라서 기초공학부는 거의 모든 공학의 대상을 다루기에 사실상 통합공학부라고 불려도 손색이 없을 정도이며 기초공학부에서 하는 공학 교육이 올바르게 이루어진다면 그 대학에서는 바른 공학도의 양성과 공학 연구가 창의적이면서도 실용적으로 이루어지고 있다는 점을 다시 한번 알 수 있는 셈이다.

6. 앙트러프러너십과 철학·종교학·인류학

한국 대학에서 앙트러프러너십 전공이 설치된 학부는 해당 전공에서 사실상 철학, 종교학, 인류학을 전인격적으로 가르친다. 따라서 해당 학부를 철학과, 종교학과, 인류학과로 볼 수 있다. 이는 해당 전공이 철학과 인류학을 기반으로 한 것이기 때문이다.

한편 비슷한 경우로 교직 과정이 있는 행정학과의 경우 사실상 그 학과가 사회학과이기도 한 것으로 보는 것이 일반적이다. 이외에 예술학과는 미학과로 보는 것에서 문과 관련 대학 학과의 상황에 대해서도 부수적으로 함께 융합하여 살펴볼 수 있기에 올바르다.

또한 복지행정과의 경우 대게 일반적인 인문대학과 사회과학대학의 기초적 교육을 하며 인문학이 강한 대학에 철학과가 설치되어 있고 별도로 유학동양학과가 존재하는 경우 거기에서 검도학, 칠예학, 민속학, 정치철학, 법철학, 사회철학, 논리학, 고전학[12], 바둑학, 여성학, 종교학[13] 등을 포괄적으로 가르치기도 한다.

12) 그리스와 로마 고전이며 이슬람권 고전도 포함한다.
13) 보통 종교학으로 표기하나 사실상 기독교, 유대교 등 서양 종교와 관련한 신학 교육을 한다. 다만 미션스쿨이 아니므로 객관적인 입장에서 가르친다.

7. 아시아지역학과 경영학의 통섭성

일반적으로 국어사전에서 '지역'이라는 단어를 찾아보면 '전체 사회를 어떤 특징으로 나눈 일정한 공간 영역'이라는 의미를 알 수 있으며 '경영'이라는 단어를 찾아보면 '기초를 닦고 계획을 세워 어떤 일을 해 나감'이라는 의미인 것을 알 수 있다.

그러므로 이미 '지역'이라는 말에는 간접적으로 '경영'이라는 의미를 내포하고 있다고 할 수 있다. 이는 사회를 어떠한 특징으로 나누고자 한다면 그 사회는 이미 어떠한 경영적 활동의 일환이고 그것이 구분되는 행위 자체가 경영적 행위가 된다. 고로 '아시아지역학'은 사실상 '아시아경영학'이라고 불러도 무방한 것이며 '지역학'이라는 단어는 그 앞에 붙은 단어에 의해서 '경영학'과 같은 의미로 되게 되는 것이다.

우리가 다루는 아시아지역학이 경영학의 도움으로 탄생하고 일각에서는 경영학의 한 하위 학문으로 보기도 한다는 것은 공공연한 사실이다. 그러므로 기본적으로 아시아지역학과 경영학의 상호 연관성에 대해서 살펴볼 필요가 있으며 이를 과학적 방법에 따라 규명해 보면 학술적 발전에도 도움이 될 것이다.

먼저 학교 현장에 대해서 살펴보면 대게 아시아지역학이 국내에서 별도의 학과로 직접 개설된 예는 없지만 연계전공으로 개설된 경우가 많으며 일반적으로 경영학부 산하의 전공으로 취급받는 경우가 많다. 또한 편입생의 경우 학점은행제나 독학학위제의 경우 경영학을 전공해서 아시아지역학으로 편입하면 사실상 동일한 전공으로 인식되어 그 학위는 없는 것으로 보는 경우도 일반적으로는 많은 편이다. 이는 동일한 학위의 재취득을 국제적으로 일반적이지 않게 보기 때문이다.

이외에 과목을 구체적으로 살펴보면 대게 '회계학원론', '경영경제수학', '경영과컴퓨터', '경제학원론', '경영학원론', '경영통계학'을 기초 이수과목으로 정하며 이들 과목과 내용이 유사한 과목으로 '위대한지도자들

과그들의선택', '문화예술과감각활용', '바이오헬스인문학', '4차산업혁명과서비스경영'이 있으며 이들 과목은 대개 경영학 과목과 내용이 동일하다. 또한 자유로 분류된 과목은 제2전공 과목과 교양 과목을 동시에 인정하는 과목으로 본다. 그리고 이들 과목은 명칭은 다르지만, 기본적으로 경영학을 다루고 이해시키는 과목이다. 그러기에 이런 부분을 살펴보면서 인지해야 한다.

8. 아시아지역학의 대학 교육 고찰

대게 아시아지역학을 대학에서 학과로 설치하거나 연계전공(특정 학부의 사실상의 하위 전공과 같다고 봄)으로 교육하는 경우 그 방식은 경영학과와 사실상 동일하게 하는 것이 학문적 일치성 차원에서 좋으며 실제 현장에서도 그렇게 운영되고 있음을 알 수 있다. 이외에 아시아지역학은 대학에서 경영학사로 수여하고 신학문이라는 명칭을 살려서 아시아지역학사로 수여해도 경영학사로 보는 관행으로 인해 일반적으로 대학에서 아시아지역학 교육은 상경관[14]에서 이루어진다.

특히 국제적으로 아시아지역학 관련 학위는 MBA[15],

---

14) 통상 경영학과의 학부 및 대학원 수업이 이루어지는 건물과 같은 건물을 공유하며 관련 행정 처리 및 시스템 운영 그리고 학과 행사 참여도 일치되어 운영된다. 이는 앞서 설명한 학과의 관념적 설치의 소규모 부문으로 경영학과(경영학부) 내에 하나의 전공처럼 구성되는 것으로 인식되는 것이 일반적이며 아시아지역학사로 수여하는 대학의 경우 그 대학의 경영학과 자체가 독창성이 높은 편이며 실험적 시도를 하기에 그러하지 그 학위는 경영학사로 본다.

MPP[16], PPE[17]와 동일한 것으로 인식되므로 경영학과의 연관성이 상당하며 국제적인 평판도 해당 학교의 경영학과 수준과 연동되는 경우가 대다수다.

또한 졸업 요건에서 대게 경영학과가 자격증은 주로 TESAT[18], 매경TEST[19] 취득을 요구하므로 그러하면 같게 하는 것이 옳으며 필요하면 SMAT[20] 취득도 고려해서 추가하는 것이 좋은 편이다. 이외에도 아시아지역학 이수 학생을 경영학과 동문으로 취급하는 것이 상식적이라고 덧붙일 수 있다. 따라서 아시아지역학이 실제 대학 현장에서 경영학과 높은 일치성을 가지는 것을 알 수 있으므로 상호 간의 깊은 소통과 교류를 더욱 강화해야 하며 그것이 경영학 발전에도 이바지할 것이다.

---

15) Master of Business Administration
16) Master of Public Policy, 정책학은 공공부문과 사적부문 상관 없이 경영학과 거의 한 몸이기 때문에 국제적으로 이렇게 보기도 한다.
17) Philosophy, Politics and Economics로 한국에서는 정치경제철학으로 번역한다. 해당 전공은 영국 최고의 학부 전공으로 보며 명문가에서 주로 취득한다. 해당 전공은 직접 경영학과는 상관이 적지만 구성하는 3개 학문이 경영학의 기반이 되고 연관이 짙은 학문이며 아시아지역학이 학술적으로 융합성이 강하고 국제적으로 우수한 인정을 받기에 이렇게 칭한다. 한편 케임브릿지 대학의 HSPS(Human, Social and Political Science)나 미국 일부 대학이 제공하는 PPEL(Philosophy, Politics, Economics and Law)도 아시아지역학 학사와 동일하게 보며 학술적 구조와 위상 그리고 지위에 대해서도 동일하게 인정한다.
18) Test of Economic Sense And Thinking
19) Master of Business Administration
20) Master of Business Administration

제 4 장

역사적으로 서울을 바라보다

1. 서울의 철학과 고조선

서울과 함께 정신적 고유 철학인 동학을 재정립할 필요가 있다. 그 후신 종교인 천도교, 대종교, 증산교, 원불교 간의 화합과 비불교, 비유교, 비기독교의 국내 고유 철학과의 융합을 통해 하나의 큰 세계관으로 확장할 필요성이 제시된다. 즉 동학은 비불교, 비유교, 비기독교 한국 고유 철학의 종합이라고 정의할 수 있다.

특히 근래의 외국 대학 출신이 서울대 위의 존재로 여겨지는 사회적 풍토가 학벌 완화에는 긍정적이지만 우리 문화적으로는 아쉬운 부분도 많다. 이를 위해서 대학 측면에서도 이원화캠퍼스[21]는 본교에 속한 확장

---

21) 이원화 캠퍼스는 본교의 부족한 용지를 극복하기 위해 인근 지역에 건설한 캠퍼스로 본교가 확장된 것이기에 그 자체가 본교이다. 이는 분교를 폐지하고 본교의 확장캠퍼스로 사용하기로 한 것도 그러하다. 고로 분교와는 전혀 다르며 본교와 온전히 같은 대우를 받고 있다. 만일 이를 분교로 칭하거나 대우한다면 법적 조치가 가능하며 관련 판례도 존재한다.

캠퍼스로 보고 분교는 본교와 별도의 그 소재 지역의 향토 대학으로 기능하면서 그 가운데 각자의 지역 문화를 대학에서 연구하는 기능적 방안도 시급하게 검토할 필요성이 다양한 영역에서 제시된다.

지리적인 측면에서 수도권 일극 주의를 타파하여 제2 도시인 부산의 역사적 정통성을 다시 살펴보고 안보적 측면까지 고려하여 남부권 종합 발전 계획도 하여 균형적 지리 발전을 도모해야 한다. 한편 북한이 개건한 단군릉도 그 역사적 의미를 새롭게 정립하여 부정적 측면과 긍정적 측면을 균형 잡히게 살펴봐서 고조선을 느끼는 체험의 장으로 쓸 필요성이 있다. 또한 이를 서울이 주도하여 앞장서야 할 필요가 있는데 이는 시대적 요구이며 더 이상 서울은 일개 도시가 아니기 때문이다.

2. 상식을 뒤집는 혁신과 서울

서울을 통해 사고에 빠지면 우리가 통념적 관념에 자리 잡은 상식을 한 번은 재고할 필요가 있으며 그러한 혁신을 통해 우리 사회의 변화는 앞으로 나아갈 수 있는 것을 알 수 있다.

먼저 근래에 남자 아이돌이 인기 없는 것에 대해서 논하자면 남자 아이돌은 여자 아이돌과 달리 팬덤 중심 경제 구조로 되어 있으므로 대중성을 놓쳐서 대중적 인지도가 상실되었기 때문이다. 또한 오디션 프로그램 조작 문제를 논하자면 그 조작에 대해서 알든 모르든 간에 조작으로 수혜를 입은 데뷔 멤버는 그것에 대한 사과와 피해자의 배상 책임이 반드시 존재하는 것이다. 이는 우리나라에서 장물 취득범에 대해서 처벌하는 것을 생각하면 그러하므로 정의롭게 해야 하는 것이다.

이외에 중국 인명 표기에 있어 신해혁명 이전 인사에 대해서도 중국어로 표기해야 하며 국내 행정구역 중 구의 경우 해당 구가 자치구면 독립된 하나의 도시로 보아야 할 필요성이 있다. 그리고 지구평면설을 축소시키기 위해서는 지구공동설을 대항마로 내세워서 다시 생각하도록 적극적으로 지원해야 한다.

마지막으로 미국의 노턴 1세는 일종의 비주권군주제[22]로 보아야 한다. 이는 미국 대중에게 상당한 영향력을 행사했으므로 주권은 없지만 군주이기 때문이다. 따라서 이러한 부분을 서울도 함께 바라보아야 한다.

---

22) Non-sovereign monarchy

3. 서울과 함께 보는 고조선의 역사

서울과 함께 고조선을 보면 고조선은 기원전 2333년에 아사달에 도읍을 지어 생긴 한민족의 첫 국가임을 알 수 있다. 고조선의 서울인 아사달의 위치는 정확히 알 수는 없지만 만주 일대의 한 지역으로 추정하고 있다. 국호는 조선으로 하였으나 후대 이성계에 의해 건국된 조선과 구분하고자 고조선이라고 부르고 있다. 또한 군주의 명칭은 단군이라고 불렀다.

초대 단군인 왕검은 93년의 재임을 하였다고 알려졌다. 웅녀라고 불린 여인과 혼인하였고 현재의 헌법과 같은 역할을 하는 기본법인 8조법을 제정 및 반포했다. 이후 2대 단군 부루는 58년 재임을 했다. 왕검의 뒤를 이어 재임하면서 국가의 기반을 세우고 국경을 정비했으며 도량형을 통일하고 세금을 정하였다. 3대 단군 가

륵은 45년의 재임을 했으며 4대 단군 오사구는 38년을 재임했다.

5대 단군 구을은 16년 재임을 했으며 6대 단군 달문은 36년 재임을 했다. 그리고 7대 단군 한율은 54년 재임을 했고 8대 단군 우서한은 8년 재임했다. 이어 9대 단군 아술은 35년 재임을 했는데 구월산 남쪽 기슭에 새 궁전을 지었다고 전해진다. 10대 단군 노을은 59년 재임을 했고 11대 단군 도해는 57년 재임을 했으며 12대 단군 아하는 52년 재임했다.

13대 단군 흘달은 61년 재임했고 넓어진 국토를 관리하기 위해 주와 현을 세웠다. 14대 단군 고블은 60년 재임했고 하늘의 기우제를 지내고 첫 호구 조사를 했다. 이어 15대 단군 대음은 51년 재임했고 16대 단군 위나는 58년 재임했으며 17대 단군 여을은 68년 재임을 했고 18대 단군 동엄은 49년 재임했다.

19대 단군 구모소는 55년 재임했고 20대 단군 고홀은 43년 재임했으며 21대 단군 소태는 52년 재임했는데 이 시기에 상나라의 침공으로 전쟁하여 승리했다는 기록이 전해진다.

22대 단군 색불루는 48년 재임했고 이 시기에 상나라의 수도를 침공하여 함락했다는 기록이 전해진다. 23대 단군 아홀은 76년 재임했고 24대 단군 연나는 11년을 재임했다.

25대 단군 솔나는 88년 재임했는데 중국에서는 기자라고 부르기도 했다. 이것이 후대에 기자조선으로 날조된 것으로 단군 솔나를 기자로 불린 것 이외에는 날조된 사실이다. 이어 26대 단군 추로는 65년을 재임했고 27대 단군 두밀은 26년 재임했다. 28대 단군 해모는 28년을 재임했고 29대 단군 마휴는 34년 재임했다.

30대 단군 내휴는 35년을 재임하였는데 상나라가 망하고 생긴 주나라와 수교를 했으며 31대 단군 등올은 25년을 재임했다. 32대 단군 추밀은 30년 재임했고 33대 단군 감물은 24년을 재임했다. 34대 단군 오루문은 23년 재임했고 35대 단군 사벌은 68년을 재임했다.

36대 단군은 58년 재임했고 37대 단군 마물은 56년을 재임했다. 38대 단군 다물은 45년 재임했고 39대 단군 두홀은 36년을 재임했다. 40대 단군 달음은 18년을 재임했고 41대 단군 음차는 20년 재임했다. 42대 단군 을우지는 10년을 재임했고 43대 단군 물리는 36년을 재임했다. 이어 44대 단군 구물은 29년을 재임했고 45대 단군 여루는 55년 재임했다. 46대 단군 보을은 46년을 재임했고 47대 단군 고열가는 58년 재임했다. 48대 단군 부는 20년을 재임했다.

49대 단군 준이 16년을 재위했는데 당시 동생이던 위만은 중국과 교류를 하면서 적극적으로 활동했다. 이에 준이 왕권을 보호하기 위해 국경 근처로 발령했으나 그 지역에서 세력을 모아 반란을 일으켜서 왕검성을 정복했다고 전해진다. 이후 위만이 단군에 즉위하고 준은 한반도 남부로 귀양을 가게 된다.

제50대 단군 위만은 35년 재임했고 준을 따르는 여러 세력의 반란과 내분에 상당히 어지러운 국정이 이어졌다. 이후 제51대 단군 고해사가 39년 재임했고 제52대 단군 우거가 20년 재임했는데 이 과정에서 위만의 반란 이후 나라의 혼란과 지방 호족의 융성으로 인해 나라가 내분이 일어났고 한나라의 침공으로 왕검성이 함락되어 고조선은 멸망했다.

그러나 한나라는 고조선 영토 전역을 흡수할 정치적

능력이 부재했기에 일부 영토를 빼앗은 수준이었고 중앙의 왕조가 사라지니 지방의 호족은 제각기 국가를 선포했다. 특히 가장 먼저 선포된 곳은 한나라의 영향이 덜했던 한반도 남부의 삼한으로 이는 단군 준의 세력이 남부로 귀양가면서 단군이라는 명칭이 변형되면서 한으로 변해서 전해졌고 이러한 고조선 국통의 적통 계승자라는 의미에서 각자 호족 세력들이 마치 유럽에서 여러 국가들이 로마를 칭하듯 그 명칭을 차용하여 마한, 진한, 변한이 건국되었다.

이외에 부여, 동예, 옥저가 만주와 한반도 북부에서 건국되었고, 중국과 교류가 잦았던 낙랑도 한반도 북부에 건국되었다. 이러한 시기는 열국시대이며 이후 고구려, 백제, 신라로 세력이 정리되는 삼국시대로 접어든다. 변한은 가야로 그 국호와 형태를 바꾸어서 지속되었지만, 백제가 강성할 때는 호남 및 충청에 치중하면서 사실상 백제의 제후국이 되고 신라가 강성할 때는 신라의 제후국이 되어 사국시대로는 보지 않는다.

이후 신라에 의한 삼국 통일과 고구려 유민이 발해는 건국하는 남북국시대가 이어지고 신라에서 후고구려와 후백제가 분리되는 발해·후삼국시대가 열린다. 뒤이어 후고구려에서 반란을 일으킨 왕건에 의해 고려가 건국되고 후백제와 신라를 통일하고 발해 유민을 흡수하고 발해 계승을 표방하면서 고려시대가 개국된다. 이후에는 조선시대, 대한제국시대, 일제강점시대, 남북분단시대로 하여 지금의 남북 분단의 상황으로 이어진다. 고로 이러한 아사달의 정신은 서울이 수도가 되어서 직통으로 이어받은 것과 같으므로 그 정통성이 있다.

4. 서울과 함께 보는 국제지역학과 경영학

일반적으로 국제지역학과 경영학은 밀접한 관계에 있음은 보편적인 학계의 상식이다. 그러나 본 글의 제목을 '국제지역학을 통해 보는 경영과학'으로 정한 것은 과거의 단순한 경영학적 이해로는 국제지역학을 완벽히 이해할 수 없기 때문이다. 경영학은 급변하는 시대에 유연성을 가지고 살아남아서 생존에 지속해서 기여할 수 있는 전천후의 경영자를 양성하는 것을 목적으로 한다. 아시아지역학도 이러한 경영학의 토대와 목적을 수용한 학문이므로 경영자적 관점에서 아시아지역학을 바라보도록 요구한다. 그러나 과학의 발전과 수리학의 발전으로 인해 경영학에도 다양한 계량적 방법이 도입되었다. 과거의 경영자적 직관에 따른 판단이 아니라 과학적이고 계량적인 방법에 따른 정밀한 판단이 요구되는 것이다. 이러한 것은 아시아지역학에도 적용된다.

따라서 경영과학이라는 것은 단순한 경영자의 이미지를 벗기고 과학적인 계량 분석에 따른 판단의 중요성을 강조하기 위한 표현이다. 또한 국제지역학에서 이러한 것이 중요한 이유는 아시아라는 세계가 가장 복잡하고 난해하기 때문이다. 일순간의 직관으로는 결코 볼 수 없는 세계이다. 그러므로 국제지역학을 바라볼 때는 위에서 언급한 점을 명심해야 한다. 또한 국제지역학에서 아시아를 바라볼 때는 조직의 운용·조직·지휘 등을 체계적으로 연구하는 성실함 위에서 현대적 경영자의 관점으로 보아야 한다.

한편 아시아지역학을 통해 삼각관계로 보면 국제지역학은 기본적으로 경영과학 혹은 경영학개론을 아시아지역학에 맞게 학술적 원론을 살리면서도 특성을 중요하게 변형한 것이다. 일반적으로 배우는 경영과학 혹은 경영학개론 위에 아시아의 특수성도 함께 추가하여 상호 복합적이고 창조적으로 다루는 형태이다. 그리고 대학에서의 아시아지역학과 경영학의 관계도 살펴보면 아시아지역학은 경영학을 그 모태로 하여 경영학자가 주도해서 만들었고 일각에서는 경영학의 하위 학문으로 보아 사실상 경영학과 같은 것으로 볼 정도다.

그러므로 아시아지역학 관련 학과가 설치되지 않은 대학에서 연계전공으로 그 학위를 받은 자는 사실상 그 대학의 경영학과를 졸업한 것과 같게 보아야 하며 그렇게 하고 있다. 이는 경영학과에서 아시아지역학 관련 과정을 운영하는 점도 있지만 기본적으로 학문적 근거에 기인하기 때문이다. 또한 아시아지역학을 대학에서 이수한 자의 학점을 분석해 보면 대게 전공필수보다 전공선택이 성적표에 찍힌 경우가 많다. 이는 아시아지역학 자체가 이제 만들어지고 있는 학문이므로 특정 과목을 전공필수로 완벽히 지정하기 어려운 부분에서 기인하기도 한다. 그러므로 전공필수로 이수해야 할 과목은 대게 상황에 따라 전공 혹은 교양과목으로 인정할 수 있는 자유과목을 전공필수로 해석한다. 특히 제2전공으로 아시아지역학을 이수한 자의 경우 그 학점 계산 시 성적표에서 제2전공으로 찍힌 과목과 자유전공으로 찍힌 과목을 모두 합산해야 올바르게 계산한 것이다.

이외에도 편입 관련된 문제를 살펴보자면 한국에서

다른 대학으로 편입하는 경우 그 학점은 학칙에 따라 인정해도 특정 과목을 구체적으로 인정하지는 않는다. 다만 유사한 과목에 대해서 수강하지 않아도 되도록 하는 형태로 전적 학점을 인정한다. 특히 원격 교육을 통한 경영학 학사 학위를 취득하고 아시아지역학 학사 과정으로 하여 일반 대학에 편입하고자 하는 경우 국제적으로 일반 대학에서 학위를 취득하면 원격 교육을 통한 학위가 전자와 유사한 경우 인정하지 않는 불문율을 주의 깊게 볼 필요가 있다. 또한 대게 아시아지역학의 경우 경영학을 학습하던 학생이 편입하는 경우가 많다. 이는 위에서 설명한 것처럼 아시아지역학이 사실상 경영학과 동일하게 보는 학계의 관행과 학술적 기반 그리고 학과가 개설되지 않았을 때 사실상 그 대학 경영학과 동문으로 인정하는 관례에서 찾을 수 있다. 한편 아시아지역학은 그 학문에 있어 하위 과목으로 기획론을 사용하기도 한다. 이에 대해서 아래에 기술하고자 한다.

기획론은 영어로 'Public Planning'이라고 하며 미래의 목표를 설정하고, 이를 달성하기 위한 과정을 계획하고 실행하는 과정을 연구하는 학문이다. 그러므로 기획은 기업, 조직, 개인 등 다양한 주체가 미래의 목표를 달성하기 위해 수행하는 활동 전반을 의미한다. 이러한 기획을 연구하는 기획론은 20세기 초에 미국에서 탄생했다. 초기의 기획론은 주로 기업의 경영 전략과 관련된 연구를 중심으로 이루어졌다.

이후 기획론은 조직, 사회, 개인 등 다양한 분야로 확대되었다. 또한 그 발전상은 오늘날에도 지속해서 이어지고 있다. 새로운 경영 환경과 기술의 변화에 따라 기획의 방법과 내용이 변화하고 있다. 한편 기획론은 미래에도 더욱 발전할 것으로 전망된다. 기후 변화, 기술 발전, 사회 변화 등 다양한 도전에 직면한 현대 사회에서 기획은 미래의 목표를 달성하기 위한 활동이다. 앞으로 기획은 융합적으로 발전할 것이다. 기획은 그 특성상 기업, 조직, 사회, 개인 등 여러 분야에서 이루어진다. 따라서 융합적 기획론을 통해 다양한 분야의 기획을 연계하고, 통합적인 관점에서 기획을 수행하는 것이 중요해질 것이다.

또한 인류에게 기후 변화, 환경 오염 등 지속 가능성에 관한 관심이 증가하고 있다. 따라서 지속 가능한 기획론을 통해 환경과 사회에 미치는 영향을 고려한 기획을 수행하는 것이 중요해질 것으로 전망된다. 기술적으로는 인공지능의 발전으로 기획의 효율성과 정확성이 향상될 것이다. 따라서 인공지능을 활용한 기획론을 통해 기획의 자동화와 최적화를 하는 것이 중요해질 것이다. 이와 같은 전망 속에서 기획론을 학습하여 현재 상황을 분석하고, 미래의 가능성을 발견하며, 이를 현실로 만들어야 하는 고차원적 설계 과정이다.

그러므로 이러한 발견 속에서 삼각관계의 학문적 연관성을 살펴보면서 국제지역학은 상당히 학술적으로 풍부하면서도 경영학적 관점을 충실히 이행하면서 아시아를 상당히 독창적으로 바라보는 것에 훌륭한 학술적 수단으로 사용할 수 있다는 점도 인지해야 한다.

부록

제7공화국 헌법 제안

Ⅰ. 전문

우리는 3·1운동으로 건립된 대한민국임시정부의 법통과 불의에 항거한 4·19혁명, 부마민주항쟁과 5·18민주화운동, 6·10민주항쟁의 민주이념을 계승하고, 법치주의와 공화주의에 기반한 자유롭고 평등한 민주사회의 실현을 기본 사명으로 삼아, 정의에 기초한 평화롭고 안전한 국가를 지향하며, 모든 사람의 존엄과 자유를 최우선으로 보호하며, 인류애와 생명 존중으로 행복한 공존을 추구하고, 세계 평화에 이바지할 것을 다짐하고, 자율과 조화를 바탕으로 사회정의와 자치·분권을 실현하고, 인간 존중을 사회생활 전반에서 실천하고, 지구생태계와 자연환경의 보호에 힘쓰며, 모든 분야에서 지속가능한 발전을 추구하고, 노동의 존엄성을 인식하며, 기회균등의 원리로 복지국가로 나아가고, 미래세 대에 대한 우리의 책임을 인식하며, 상호 연대하고 더불어사는 세상을 위해 앞으로 나갈 것을 다짐하면서 1948년 7월 12일에 제정되고 10차에 걸쳐 개정된 헌법을 이제 국회의 의결을 거쳐 국민투표에 의하여 개정한다.

II. 본문

제1장 총강

제1조 ① 인간의 존엄성은 소멸되거나 훼손될 수 없으며, 이를 존중하고 보호하며 인권국가를 지향하는 대한민국은 민주공화국이다.

② 대한민국은 인간의 보편적 인권을 인정하고 평화와 정의의 기초가 되는 인권을 확신하며, 인권이 모든 권력 위에 있음을 확인한다.

③ 대한민국의 모든 권력은 인권을 수호해야 하는 것을 기본적 책무로 삼는다.

④ 대한민국의 주권은 국민에게 있고, 모든 권력은 국민으

로부터 나오며, 국민을 위하여 행사된다.

⑤ 대한민국은 지방분권국가이다.

⑥ 대한민국은 미래 세대에 대해 책임 있는 태도를 가져야 한다.

⑦ 대한민국은 대한제국의 불법적인 해산에 대해 인정하지 아니하며 대한제국의 국체를 정의롭게 계승하고 임시정부 수립을 통한 대한민국 건국에 따라 대한제국이 해산하고 대한민국으로 승계되었다고 본다.

제2조 ① 대한민국 국민의 자녀는 출생 시에 대한민국 국적을 취득하며, 그 밖에 대한민국 국민이 되는 요건과 절차에 관하여 필요한 사항은 법률로 정한다.

② 국가는 자의적으로 국민의 국적을 박탈하거나 국외로 추방할 수 없다.

③ 국가는 법률로 정하는 바에 따라 재외국민을 보호할 의무를 지며, 구체적인 사항은 법률로 정한다.

④ 한민족을 부 또는 모로 하여 출생한 사람과 그들의 후손은 헌법과 법률로 정하는 바에 따라 대한민국 국적을 취득할 수 있다.

제3조 ① 대한민국의 영역는 한반도와 그 부속도서(附屬

島嶼)를 포함하는 영토, 영해, 영공으로 한다.

② 대한민국의 수도(首都)에 관한 사항은 법률로 정한다.

③ 대한민국의 국기는 태극기이다.

④ 대한민국의 국가는 애국가이다.

⑤ 대한민국의 국어는 한국어이다.

제4조 대한민국은 통일을 지향하며, 민주적 기본질서에 입각한 평화적 통일 정책을 수립하고 이를 추진한다.

제5조 ① 대한민국은 국제평화를 유지하기 위하여 노력하고 침략적 전쟁을 인정하지 않는다.

② 국군은 국가의 안전보장과 국토방위의 의무를 수행하는 것을 사명으로 하며, 국제평화 유지를 위해 공헌하며 정치적 중립성을 준수한다.

③ 군인은 대한민국 국민으로서 일반 국민과 동등하게 헌법상 보장된 권리를 가진다.

④ 군인은 재직 중은 물론 퇴직 후에도 군인의 직무상 공정성과 청렴성을 훼손해서는 안 된다.

⑤ 군인은 부당하거나 비인도적인 명령을 거부할 의무가 있다.

제6조 ① 헌법에 따라 체결·공포된 조약과 일반적으로 승인된 국제법규는 국내법과 같은 효력을 가진다.

② 외국인의 지위는 국제법과 조약으로 정하는 바에 따라 보장된다.

제7조 ① 공무원은 국민 전체에게 봉사하며, 국민에 대하여 책임을 진다.

② 공무원의 신분은 법률로 정하는 바에 따라 보장된다.

③ 공무원은 직무를 수행할 때 정치적 중립을 지켜야 한다.

④ 공무원은 재직 중은 물론 퇴직 후에도 공무원의 직무상 공정성과 청렴성을 훼손해서는 안 된다.

제8조 ① 정당은 정치적 자유의 표현이며 국민의 의사 형성 및 표명과 정치적 참여를 위한 기본적인 수단이다. 정당의 설립·조직 및 활동은 자유이며, 복수정당제는 보장된다.

② 정당의 목적·조직과 활동은 민주적이어야 한다.

③ 정당은 법률로 정하는 바에 따라 국가의 보호를 받으며, 국가는 소수자의 보호 등 정당한 목적과 공정 한 기준으로 법률로 정하는 바에 따라 정당운영에 필요한 자금을 보조할 수 있다.

④ 내각은 정당의 목적이나 활동이 민주적 기본질서에 위반될 때에는 대법원에 정당의 해산을 제소할 수 있고, 제소된 정당은 대법원의 심판에 따라 해산된다.

⑤ 법률에 따라 선거권자 10분의 1 이상의 찬성으로 대법원에 정당의 해산을 제소할 수 있고, 제소된 정당은 대법원의 심판에 따라 해산된다. 단, 해당 정당이 직전 국회의원 선거에서 선거권자 10분의 1 이상의 비례대표 득표를 한 경우 그 수 이상의 찬성을 얻어야 제소할 수 있다.

⑥ 대법원의 심판에 따라 해산되는 정당의 소속 공무원은 그 직을 상실한다.

제9조 국가는 문화의 자율성과 다양성을 증진하고, 전통문화를 창조적으로 계승하기 위하여 노력해야 한다.

제2장 기본적 권리와 의무

제10조 ① 모든 사람은 태어날 때부터 자유롭고 동등한 존엄과 가치를 가지며, 행복을 추구할 권리를 가진다. 국가는 개인이 가지는 불가침의 기본적 인권을 확인하고 보장할 의무를 진다.

② 모든 사람은 자유롭게 행동할 권리를 가진다.

제11조 ① 모든 사람은 법 앞에 평등하다. 누구도 성별·종교·장애·연령·인종·지역·언어·사상·재산·출생·피부색·성적지향·신체적 특성·사회적 신분·고용 형태 또는 기타의 신분을 이유로 정치적·경제적·사회적·문화적 생활을 비롯한 모든 영역에서 차별을 받아서는 안 된다.

② 국가는 실질적 평등을 실현하고, 현존하는 차별을 시정하기 위하여 적극적으로 조치한다.

③ 사회적 특수계급 제도는 인정되지 않으며, 어떠한 형태로도 창설할 수 없다.

④ 훈장을 비롯한 영전(榮典)은 받은 자에게만 효력이 있고, 어떠한 특권도 따르지 않으며 계급창설의 수단으로 사용할 수 없다.

제12조 ① 모든 사람은 생명권을 가지며, 신체와 정신을 온전하게 유지할 권리를 가진다.

② 인간의 생명과 존엄은 최우선적으로 보장되어야 하며, 그 어떠한 것도 인간의 생명과 존엄보다 앞설 수 없다.

③ 모든 사람은 죽음을 강요받지 않는다.

④ 모든 사람은 품위 있게 죽을 권리가 있다.

⑤ 모든 사람은 노예가 될 수 없으며, 인신매매는 어떠한 경우에도 인정되지 않는다.

⑥ 모든 사람의 생명은 우열을 판단할 수 없다.

⑦ 인간복제나 비인도적인 인체실험은 할 수 없다.

⑧ 특정한 인종을 차별하거나 우대할 수 없다.

⑨ 사형제도는 어떠한 경우에도 인정되지 않는다.

제13조 ① 모든 사람은 신체의 자유를 가진다. 누구도 법률에 따르지 않고는 체포·구속·압수·수색 또는 심문을 받지 않으며, 법률과 적법한 절차에 따르지 않고는 처벌·보안처분 또는 강제노역을 받지 않는다.

② 누구나 고문이나 잔혹 행위를 당하지 않으며, 모멸적이거나 비인도적인 처우 또는 처벌을 받지 않는다.

③ 누구나 민·형사상 자기에게 불리한 진술을 강요당하지 않는다.

④ 체포 · 구속이나 압수 · 수색을 하려 할 때에는 적법한 절차에 따라 청구되고 법관이 발부한 영장을 제시해야 한다. 다만, 현행범인인 경우와 장기 5년 이상의 형에 해당하는 죄를 범하고 도피하거나 증거를 없앨 염려가 있는 경우 사후에 영장을 청구할 수 있다.

⑤ 모든 사람은 사법절차에서 변호인의 도움을 받을 권리

를 가진다. 체포 또는 구속을 당한 경우에는 즉시 변호인의 도움을 받도록 하여야 한다. 국가는 형사피의자 또는 피고인이 스스로 변호인을 구할 수 없을 때에는 법률로 정하는 바에 따라 변호인을 선임하여 변호를 받도록 하여야 한다.

⑥ 체포나 구속의 이유, 변호인의 도움을 받을 권리와 자기에게 불리한 진술을 강요당하지 않을 권리가 있음을 고지받지 않고는 누구도 체포나 구속을 당하지 않는다. 체포나 구속을 당한 사람의 가족 등 법률로 정하는 사람에게는 그 이유와 일시 · 장소를 즉시 통지해야 한다.

⑦ 체포나 구속을 당한 사람은 법원에 그 적부(適否)의 심사를 청구할 권리를 가진다.

⑧ 고문 · 폭행 · 협박 · 부당한 장기간의 구속 또는 기망(欺罔), 그 밖의 방법으로 말미암아 자의(自意)로 진술하지 않은 것으로 인정되는 피고인의 자백, 또는 정식 재판에서 자기에게 불리한 유일한 증거가 되는 피고인의 자백은 유죄의 증거로 삼을 수 없으며, 그런 자백을 이유로 처벌할 수도 없다.

⑨ 법률이 정하는 바에 따라 형사피고인이 변호인을 선임하지 못한 경우에는 재판할 수 없다.

제14조 ① 모든 사람은 행위 시의 법률에 따라 범죄를 구

성하지 않는 행위로 소추되지 않으며, 동일한 범죄로 거듭 처벌받지 않는다.

② 모든 사람은 소급입법(遡及立法)으로 참정권을 제한받거나 재산권을 박탈당하지 않는다.

③ 모든 사람은 자기의 행위가 아닌 친족·지인의 행위로 불이익한 처우를 받지 않는다.

④ 모든 사람은 박해를 피하여 다른 나라에 비호(庇護)를 구하거나 받을 권리를 가진다.

⑤ 누구든지 고문 또는 잔혹하고 비인도적인 처우나 형벌을 받을 우려가 있는 국가에 송환되거나 인도되지 않는다.

⑥ 누구든지 사형을 받을 우려가 있는 국가에 특별한 사유가 없는 한 송환되거나 인도되지 않는다.

⑦ 국외에서 범죄를 저지른 사람이 제4항과 제5항에 해당한다면 해당 국가에 송환하거나 인도하지 않고 국내에서 처벌한다.

⑧ 국가는 국제법과 법률에 따라 난민을 보호한다.

⑨ 망명권은 관련 국제조약을 존중하여 법률로 정하는 바에 따라 보장되며 대한민국에 망명한 자는 기본적인 헌법상의 가치관에 동의해야 한다.

제15조 ① 모든 사람은 거주·이전의 자유를 가진다.

② 국가는 국민이 원활히 이동하기 위해 교통수단의 편의를 증진해야 한다.

제16조 ① 모든 사람은 직업의 자유를 가진다.

② 직업의 귀천(貴賤)은 인정되지 않는다.

제17조 ① 모든 사람은 사생활의 비밀과 자유를 침해받지 않는다.

② 모든 사람은 주거의 자유를 침해받지 않는다. 주거에 대한 압수나 수색을 하려 할 때는 적법한 절차에 따라 청구되고 법관이 발부한 영장을 제시해야 한다.

③ 모든 사람은 통신의 비밀을 침해받지 않는다.

제18조 ① 모든 사람은 신앙과 양심의 자유 및 종교적·세계관적 신조의 자유를 침해되지 않는다.

② 종교 활동의 자유는 보장된다.

③ 국교는 인정되지 않으며 국가는 특정 종교를 우대할 수 없다.

④ 종교와 정치는 분리된다.

⑤ 모든 사람은 종교적 행위를 하거나 종교에 대한 교육을 받도록 강요되지 않는다.

⑥ 모든 사람은 자신의 양심에 반하여 무력을 사용하도록 강요되지 않는다. 자세한 사항은 법률로 정한다.

제19조 ① 모든 사람의 표현의 자유는 보장되며, 이 에 대한 허가나 검열은 금지된다.

② 언론·출판의 기능을 보장하기 위하여 필요한 사항은 법률로 정한다.

③ 언론·출판은 타인의 권리를 침해해서는 안 된다. 언론·출판이 타인의 권리를 침해한 경우 피해자는 이에 대한 배상·정정을 청구할 수 있다.

제20조 ① 모든 사람은 연대할 권리를 가진다.

② 집회·결사의 자유는 보장되며, 이에 대한 허가는 금지된다.

③ 누구든지 의사에 반하여 집회·결사에 참여하도록 할 수 없다.

④ 국가는 소수자의 보호 등 정당한 목적과 공정한 기준으로 법률로 정하는 바에 따라 단체 운영에 필요한 자금을 보조할 수 있다.

⑤ 단체가 범죄의 목적을 추구하거나 그 수단을 이용한 경우 위법한 것으로 본다.

⑥ 단체는 법률에 따르지 않고는 해산되거나 활동이 정지되지 않는다.

⑦ 전문직 단체의 경우 법률에 따라야 하며 내부 조직 및 운영은 민주적이어야 한다.

⑧ 비밀결사 및 준군사적 성격의 조직은 금지된다.

제21조 ① 모든 사람은 알권리 및 정보접근권을 가진다.

② 모든 사람은 자신에 관한 정보를 보호받고 그 처리에 관하여 통제할 권리를 가진다.

③ 국가는 정보의 독점과 격차로 인한 폐해를 예방하고 시정하기 위하여 노력해야 한다.

④ 모든 사람은 정보문화향유권을 가진다.

⑤ 국가는 국민이 인터넷에 접속할 수 있도록 보장하여야 한다.

제22조 ① 모든 사람은 잊혀질 권리를 가진다.

② 모든 사람은 자신의 정보에 대해 법률이 정하는 바에 따라 삭제를 요구할 수 있다.

제23조 ① 모든 사람은 학문과 예술의 자유를 가진다.

② 대학의 자치는 보장된다.

③ 저작자, 발명가, 과학기술자와 예술가의 권리는 법률로써 보호한다.

④ 모든 사람은 문화생활을 누릴 권리를 가진다.

제24조 ① 모든 사람의 재산권은 보장된다. 그 내용과 한계는 법률로 정한다.

② 재산권은 공공복리에 적합하도록 행사해야 한다.

③ 공공필요에 의한 재산권의 수용·사용 또는 제한 및 그 보상에 관한 사항은 법률로 정하되, 정당한 보상을 해야 한다.

④ 모든 사람은 소비자의 권리를 가진다.

제25조 ① 모든 국민은 선거권을 가진다. 선거권 행사의 요건과 절차 등 구체적인 사항은 법률로 정한다.

② 모든 국민은 자유롭게 선거운동을 할 수 있다. 다만, 정당·후보자 간 공정한 기회를 보장하기 위하여 법률로 제한하는 경우에는 그러하지 아니하다.

③ 모든 국민은 국가에 의한 헌법적 질서의 중대한 위반 및 그 불법적 폐지에 대하여 다른 구제수단이 불가능할 때에는 이에 저항할 권리를 가진다.

제26조 모든 국민은 공무담임권을 가진다. 구체적인 사항은 법률로 정한다.

제27조 ① 모든 사람은 국가기관에 청원할 권리를 가진다. 구체적인 사항은 법률로 정한다.

② 국가는 청원을 수리하고 심사하여 그 결과를 청원인에게 통지하여야 한다.

③ 제1항의 권리를 행사했다는 이유로 어떠한 불이익도 받지 않는다.

④ 모든 사람은 공정하고 적법한 행정을 요구할 권리를 가진다.

제28조 ① 모든 사람은 헌법과 법률에 따라 법원의 재판을 받을 권리를 가진다.

② 모든 사람은 재판을 공정하고 신속하게 받을 권리를 가진다. 형사피고인은 타당한 이유가 없으면 지체 없이 공개재판을 받을 권리를 가진다.

③ 형사피고인은 유죄 판결이 확정될 때까지는 무죄로 추정한다.

④ 국가는 형사피고인이 재판받는 과정에서 유죄로 추정되어 불이익한 처분을 받지 않도록 할 의무를 진다.

⑤ 형사피고인이 유죄 판결이 확정될 때까지 언론·출판은 유죄로 추정하여 보도하거나 저술해서는 안된다.

⑥ 형사피해자는 법률로 정하는 바에 따라 해당 사건의 재판절차에서 진술할 수 있다.

⑦ 국가는 국민이 민사·행정·가사소송을 제기할 금전적 여력이 없으면 법률이 정하는 바에 따라 지원하여야 한다.

⑧ 모든 재판은 법률에 특별한 규정이 없는 한 3인 이상의 배심원단이 구성되어야 할 수 있다.

제29조 ① 국가는 형사피의자 또는 형사피고인으로서 구금되었던 사람이 법률이 정하는 불기소처분이나 무죄판결을 받은 경우 법률로 정하는 바에 따라 정당한 보상을 하여야 한다.

② 국가는 형사피의자 또는 형사피고인으로서 기소된 사람이 무죄판결을 받은 경우 명예를 회복하기 위해 최선을 다해야 한다.

제30조 공무원의 직무상 불법행위로 손해를 입은 국민은 법률로 정하는 바에 따라 국가 또는 공공단체에 정당한 배상을 청구할 수 있다. 이 경우 공무원 자신의 책임은 면제되지 않는다.

제31조 ① 타인의 범죄행위로 인하여 생명·신체 및 정신적 피해를 받은 국민은 법률로 정하는 바에 따라 국가로부터 구조 및 보호를 받을 권리를 가진다.

② 제1항의 법률은 피해자의 인권을 존중하도록 정하여야 한다.

제32조 ① 모든 사람은 능력과 적성에 따라 균등하게 교육을 받을 권리를 가진다.

② 모든 사람은 보호하는 자녀 또는 아동에게 적어도 초·중등교육과 법률로 정하는 교육을 받게 할 의무를 진다.

③ 의무교육은 무상으로 한다.

④ 교육의 자주성·전문성 및 정치적 중립성은 법률로 정하는 바에 따라 보장된다.

⑤ 국가는 평생교육을 진흥해야 한다.

⑥ 국가는 교육의 평등성을 지향해야 한다.

⑦ 학교교육·평생교육을 포함한 교육 제도와 그 운영, 교육재정, 교원의 지위에 관한 기본 사항은 법률로 정한다.

제33조 ① 모든 사람은 일할 권리를 가지며, 국가는 고용의 안정과 증진을 위한 정책을 시행해야 한다.

② 국가는 완전고용을 지향하며 노동의 신성함을 존중하고 이를 보호하여야 한다.

③ 국가는 적정임금을 보장하기 위하여 노력하며, 법률이 정하는 바에 따라 노동자와 그 가족의 품위 있는 생활을 보장할 수 있는 최저임금제를 시행하며, 동일한 가치의 노동에 대하여는 동일한 임금이 지급될 수 있도록 노력한다.

④ 노동자는 정당한 이유 없는 해고로부터 보호받을 권리를 가진다.

⑤ 노동조건은 노동자와 사용자가 동등한 지위에서 자유의사에 따라 결정하되, 그 기준은 인간의 존엄성을 보장하도록 법률로 정한다.

⑥ 모든 사람은 고용·임금 및 그 밖의 노동조건에서 임신·출산·육아 등으로 부당하게 차별을 받지 않으며, 국가는 이를 위한 정책을 시행해야 한다.

⑦ 사회적 약자의 노동은 특별한 보호를 받는다.

⑧ 국가는 국가유공자·상이군경 및 전몰군경(戰歿軍警)·의사자(義死者)의 유가족이 법률로 정하는 바에 따라 노동의 기회를 부여받을 수 있도록 노력해야 한다.

⑨ 국가는 모든 사람이 일과 생활을 균형 있게 영위할 수 있도록 해야 하며 노동의 안전을 보장하고 시간의 제한을 통한 기본적인 휴가와 유급휴가를 보장하고 휴식시설을 설

치하도록 촉진해야 한다.

제34조 ① 노동자는 자주적인 단결권과 단체교섭권을 가진다.

② 노동자는 경제적, 사회적 지위 향상 및 노동조건의 유지·개선을 위하여 단체행동권을 가진다.

③ 노동자는 법률의 정하는 바에 의하여 기업 이익의 분배에 균점할 권리가 있다.

④ 노동자는 법률의 정하는 바에 의하여 기업 경영에 참여할 권리가 있다.

⑤ 노동자는 법률의 정하는 바에 의하여 기업에 청원 하고 정보를 제공받을 권리가 있다.

⑥ 노동조합의 설립·조직 및 활동은 자유롭고 민주적 이어야 한다.

⑦ 국가와 사용자는 노동조합을 탄압하거나 해산할 수 없으며, 운영에 개입할 수 없다.

⑧ 현역 군인과 공무원의 단결권, 단체교섭권과 단체행동권은 법률로 정하는 바에 따라 제한할 수 있다.

⑨ 현역 군인과 공무원은 누구든지 자신이 가입한 노동조합 또는 직능단체를 위한 활동을 이유로 법률이 정 하지 않은 직무상 처분을 받거나 불이익한 대우를 받지 않는다.

제35조 ① 모든 사람은 인간다운 생활을 할 권리를 가진다. 국가는 법률이 정하는 바에 따라 기본소득에 관한 시책을 강구해야 한다.

② 모든 국민은 장애·질병·노령·실업·빈곤 또는 기타 불가항력의 상황 등으로 초래되는 사회적 위험에서 벗어나 적정한 삶의 질을 유지할 수 있도록 사회보장을 받을 권리를 가진다.

③ 모든 국민은 임신·출산·양육과 관련하여 국가의 지원을 받을 권리를 가진다.

④ 모든 국민은 쾌적하고 안정적인 주거생활을 할 권리를 가진다. 국가는 법률이 정하는 바에 따라 국민이 수긍할 수 있는 주거를 제공해야 한다.

⑤ 모든 국민은 관계 법령에서 정하는 바에 따라 사회보장수급권을 가진다.

⑥ 모든 국민은 건강하게 살 권리를 가지며 관계 법령에서 정하는 바에 따라 건강보험에 가입할 권리를 가진다. 국가는 질병을 예방하고 보건의료 제도를 개선해야 한다.

⑦ 식생활은 사람이 살아가는데 기본적인 행복으로 국가는 다양한 식생활을 존중해야 한다.

⑧ 국가는 법률에 정하지 않는다면 특정 의복 착용을 강

요할 수 없다.

제36조 ① 어린이와 청소년은 독립된 인격주체로서 존중과 보호를 받을 권리가 있으며, 어린이와 청소년에 대한 모든 공적·사적 조치는 어린이와 청소년의 이익을 우선적으로 고려해야 한다.

② 어린이와 청소년은 자유롭게 의사를 표현하며, 자신에게 영향을 주는 결정에 참여할 권리를 가진다.

③ 어린이와 청소년은 차별받지 아니하며, 부모와 가족 그리고 사회공동체 및 국가의 보살핌을 받을 권리를 가진다.

④ 어린이와 청소년은 모든 형태의 학대와 방임, 폭력과 착취로부터 보호받으며 적절한 휴식과 여가를 누릴 권리를 가진다.

⑤ 노인은 존엄한 삶을 누리고 정치적·경제적·사회적·문화적 생활에 참여할 권리를 가진다.

⑥ 장애인은 존엄하고 자립적인 삶을 누리며, 모든 영역에서 동등한 기회를 얻고 참여할 권리를 가진다.

⑦ 국가는 장애를 가진 사람에게 법률에 따라 자신이 가진 능력을 최대한으로 개발하고 경제활동이 가능하도록 적극적으로 지원해야 한다.

⑧ 국가는 장애를 가진 사람들의 사회적 통합을 추구하며

사회참여를 보장하여야 한다.

⑨ 국가는 고용, 노동, 복지, 재정 등 모든 영역에서 성평등을 보장해야 한다.

제37조 ① 모든 사람은 안전할 권리를 가진다.

② 모든 사람은 안전한 사회를 만들기 위해 참여할 권리를 가진다.

③ 모든 사람은 재난을 초래한 환경과 이유를 포함한 진실에 대해 알권리를 가진다.

④ 재난으로 인해 손해를 입은 사람은 보호받을 권리 가 있으며, 국가는 법률이 정하는 바에 따라 사과와 배상을 받을 수 있도록 지원해야 한다.

⑤ 누구든지 재난으로 생명을 잃은 사람을 충분히 애도할 권리를 가지며, 손해를 입은 사람의 아픔에 동참하고 정의를 위해 행동할 권리를 가진다.

⑥ 국가와 국민은 재난 및 모든 형태의 폭력에 의한 피해를 예방하고, 그 위험으로부터 사람을 보호해야 한다.

⑦ 국가는 모든 역량을 동원하여 재난에 처한 사람을 구조하고 이들의 안전을 확보하기 위해 최선을 다해야 하며, 구조에 있어서 그 어떤 차별도 있어서는 안 된다.

⑧ 국가는 필요할 경우 법률이 정하는 바에 따라 재난이

해결되는 전 과정을 기록해야 한다.

⑨ 국가는 유사한 재난이 반복되지 않도록 노력해야 한다.

제38조 ① 모든 사람은 건강하고 쾌적한 환경에서 생활할 권리를 가진다. 구체적인 내용은 법률로 정한다.

② 국가는 모든 생명체의 소중함을 인식하고 필요한 보호 정책을 시행해야 한다.

③ 국가는 기후변화에 대처하고, 에너지의 생산과 소비의 정의를 위해 노력하여야 한다.

④ 국가는 지구생태계와 미래세대에 대한 책임을 지고, 환경을 지속가능하게 보전하여야 한다.

⑤ 모든 국민은 자연을 보호해야 할 의무가 있다.

제39조 ① 혼인과 가족생활은 개인의 존엄과 평등을 바탕으로 성립되고 유지되어야 하며, 국가는 이를 보장 한다.

② 혼인과 가족생활의 형태에 따라 차별할 수 없다.

③ 누구든지 혼인하거나 하지 않을 것을 강요받지 않는다.

④ 혼인이 가능한 연령은 법률로 정한다.

⑤ 근친혼은 인정되지 아니한다.

⑥ 중혼은 인정되지 아니한다.

⑦ 인간 이외의 대상과는 혼인할 수 없다.

⑧ 인간 이외의 대상과는 가족관계를 구성할 수 없다.

제40조 ① 자유와 권리는 헌법에 구체적으로 열거되지 않았다는 이유로 경시되지 않는다.

② 모든 자유와 권리는 국가안전보장 혹은 공공복리를 위하여 필요한 경우에만 법률로써 제한할 수 있으며, 제한하는 경우에도 자유와 권리의 본질적인 내용을 침해할 수 없다.

③ 국가안전보장 혹은 공공복리를 위하여 자유와 권리를 제한할 경우 법률에 따라 보상해야 한다.

제41조 ① 모든 사람은 법률로 정하는 바에 따라 납세의 의무를 진다.

② 국가는 납세의 의무를 이행하는 사람이 불이익한 처우를 받지 않도록 하여야 한다.

제42조 ① 모든 국민은 법률로 정하는 바에 따라 국방의 의무를 진다.

② 국가는 국방의 의무를 이행하는 국민의 인권을 보장하기 위한 정책을 시행해야 한다.

③ 국가는 국방의 의무를 이행하는 국민에게 적정한 보상을 하여야 한다.

④ 국가는 국방의 의무를 이행하는 국민이 불이익한 처우를 받지 않도록 하여야 한다.

⑤ 누구든지 양심에 반하여 병역을 강제 받지 아니하고, 법률이 정하는 바에 의하여 대체복무를 할 수 있다.

제3장 대통령

제43조 ① 대통령은 국가를 대표한다.

② 대통령은 국가의 독립과 계속성을 유지하고, 영토를 보존하며, 헌법을 수호할 책임과 의무를 진다.

③ 부통령은 대통령을 보좌한다.

제44조 ① 대통령과 부통령은 국민의 보통 · 평등 · 직접 · 비밀선거에 의하여 선출한다.

② 제1항의 선거에 있어서 최고득표자가 2인 이상인 때에는 국회의 재적의원 과반수가 출석한 공개회의에서 다수표를 얻은 자를 당선자로 한다.

③ 대통령 혹은 부통령 후보자가 한 명이면 그 득표수가 선거권자 총수의 3분의 1 이상이 아니면 당선될 수 없다.

④ 대통령 혹은 부통령으로 선거될 수 있는 사람은 대한

민국 태생이고 국회의원의 피선거권이 있어야 한다.

⑤ 대통령과 부통령 선거에 관한 사항은 법률로 정한다.

제45조 ① 대통령 혹은 부통령의 임기가 만료되는 경우 임기만료 70일 전부터 40일 전 사이에 후임자를 선거한다.

② 대통령 혹은 부통령이 궐위(闕位)된 경우 또는 당선자가 사망 하거나 판결, 그 밖의 사유로 그 자격을 상실한 경우 60일 이내에 후임자를 선거한다.

③ 결선투표는 제1항 및 제2항에 따른 첫 선거일부터 14일 이내에 실시한다.

제46조 대통령은 취임에 즈음하여 다음의 선서를 한다.

“나는 헌법을 준수하고 인권을 존중하며 국가를 지키고 국민의 자유와 복리의 증진 및 문화 융성에 노력하여 대통령으로서 맡은 직책을 성실히 수행할 것을 국민 앞에 엄숙히 선서합니다.”

제47조 ① 대통령과 부통령의 임기는 4년으로 한다.

② 대통령과 부통령이 궐위된 경우의 후임자는 전임자의 잔임기간만 재임한다.

③ 대통령과 부통령은 1차에 한하여 중임할 수 있다.

제48조 ① 대통령이 궐위되거나 질병·사고 등으로 직무를 수행할 수 없는 경우 부통령, 국회의장, 국무총리, 대법원장 순으로 대행한다.

② 부통령이 궐위되거나 질병·사고 등으로 직무를 수행할 수 없는 경우 국회의장, 국무총리, 대법원장 순으로 대행한다.

③ 대통령 혹은 부통령이 사임하려고 하거나 질병·사고 등으로 직무를 수행할 수 없는 경우 대통령 혹은 부통령은 그 사정을 제1항에 따라 권한대행을 할 사람에게 서면으로 미리 통보해야 한다.

④ 제2항의 서면 통보가 없는 경우 권한대행의 개시 여부에 대한 최종적인 판단은 국무총리가 국무회의의 심의를 거쳐 대법원에 신청하여 그 결정에 따른다.

⑤ 권한대행의 지위는 대통령 혹은 부통령이 복귀 의사를 서면으로 통보한 때에 종료된다. 다만, 복귀한 대통령 혹은 부통령의 직무 수행 가능 여부에 대한 다툼이 있을 때에는 대법원에 신청하여 그 결정에 따른다.

⑥ 제1항에 따라 대통령 혹은 부통령의 권한을 대행하는 사람은 그 직을 유지하는 한 대통령 혹은 부통령 선거에 입후보할 수 없다.

⑦ 대통령 혹은 부통령의 권한대행에 관하여 필요한 사항은 법률로 정한다.

제49조 대통령은 국무회의 의결에 따라 조약을 체결·비준하고, 외교사절을 신임·접수 또는 파견하며, 선전포고와 강화를 한다.

제50조 ① 대통령은 헌법과 법률로 정하는 바에 따라 내각의 조언을 통해 국군을 통수한다.

② 국군의 조직과 편성은 법률로 정한다.

제51조 ① 대통령은 내우외환, 천재지변 또는 중대한 재정, 경제상의 위기에 국가의 안전보장이나 공공의 질서를 유지하기 위하여 긴급한 조치가 필요하고 국회의 집회를 기다릴 여유가 없을 때에만 최소한으로 필요한 재정·경제상의 처분을 하거나 이에 관하여 법률의 효력을 가지는 명령을 국무회의 의결에 따라 발할 수 있다.

② 대통령은 국가의 안위에 관계되는 중대한 교전 상태에서 국가를 보위하기 위하여 긴급한 조치가 필요함 에도 국회의 집회가 불가능한 경우에만 법률의 효력을 가지는 명령을 국무회의 의결에 따라 발할 수 있다.

③ 대통령은 제1항과 제2항의 처분이나 명령을 한 경우 지체 없이 국회에 보고하여 승인을 받아야 한다.

④ 제3항의 승인을 받지 못한 때에는 그 처분이나 명령은 즉시 효력을 상실한다. 이 경우 그 명령에 따라 개정되었거나 폐지되었던 법률은 그 명령이 승인을 받지 못한 때부터 당연히 효력을 회복한다.

⑤ 대통령은 제3항과 제4항의 사유를 지체 없이 공포해야 한다.

제52조 ① 대통령은 전시·사변 또는 이에 준하는 국가 비상사태에 병력으로써 군사상의 필요에 응하거나 공공 의 안녕질서를 유지할 필요가 있을 때에는 법률로 정하는 바와 국무회의 의결에 따라 계엄을 선포할 수 있다.

② 계엄이 선포된 경우 법률로 정하는 바에 따라 영장제도, 언론·출판·집회·결사의 자유, 정부나 법원의 권한에 관하여 특별한 조치를 할 수 있다.

③ 계엄을 선포한 경우 대통령은 지체 없이 국회에 통고해야 한다.

④ 계엄이 선포되면 국회는 즉시 소집되며 이를 방해할 수 없다.

⑤ 국회가 재적의원 과반수의 찬성으로 계엄의 해제를 요

구하면 대통령은 계엄을 해제해야 한다.

제53조 ① 대통령은 법률로 정하는 바와 국무회의 의결에 따라 사면·감형 또는 복권을 명할 수 있다.

② 사면을 명하려면 국회의 동의를 받아야 한다.

③ 사면·감형과 복권에 관한 사항은 법률로 정한다.

제54조 대통령은 헌법과 법률의 정하는 바에 따라 공무원의 임면을 확인한다.

제55조 대통령은 법률로 정하는 바와 국무회의 의결에 따라 훈장을 비롯한 영전을 수여한다.

제56조 대통령과 부통령은 헌법과 법률이 정하는 바에 따라 국회에 출석하여 발언하거나 문서로 의견을 표시할 수 있다.

제57조 대통령과 부통령의 국법상 행위는 문서로써 한다.

제58조 대통령과 부통령은 국회의원, 법관, 그 밖에 법률로 정하는 공사(公私)의 직을 겸할 수 없다.

제59조 대통령과 부통령은 내란 또는 외환의 죄를 범한 경우를 제외하고는 재직 중 형사상의 소추를 받지 않는다.

제60조 전직 대통령과 부통령의 신분과 예우에 관한 사항은 법률로 정한다.

제4장 국회

제61조 입법권은 국회에 있다.

제62조 ① 국회는 국민이 보통·평등·직접·비밀선거로 선출한 국회의원으로 구성한다.
② 국회의원의 수는 법률로 정하되, 300명 이상으로 한다.
③ 국회의원의 선거구와 비례대표제, 그 밖에 선거에 관한 사항은 법률로 정한다.

제63조 ① 국회의원의 임기는 4년으로 한다. 단, 국회가 해산된 때에는 그 임기는 해산과 동시에 종료한다.
② 국무총리가 국회해산을 통보할 경우 통보일로부터 40

일 후에 국회가 해산된다.

③ 제2항에 따라 선거를 할 경우 통보일로부터 30일 이내에 선거를 해야 한다.

④ 제2항에 따라 선거를 할 경우 국회의원의 임기는 해산된 국회의 잔임기간으로 한다.

⑤ 국회의원의 임기가 100일 이내로 남아있을 경우 국회는 해산되지 않는다.

⑥ 국민은 국회의원을 소환할 수 있다. 소환의 요건과 절차 등 구체적인 사항은 법률로 정한다.

⑦ 국무총리가 국회해산을 통보한 경우 국회는 국무총리의 동의 없이 법률안을 제정하거나 개정할 수 없다.

제64조 국회의원은 법률로 정하는 직(職)을 겸할 수 없다.

제65조 ① 국회의원은 현행범인인 경우를 제외하고는 국회의 동의 없이 체포되거나 구금되지 않는다.

② 국회의원이 체포되거나 구금된 경우 국회의 요구 가 있으면 석방된다.

③ 국회의장은 재적의원 4분의 3 이상의 동의 없이 는 어떠한 경우에도 체포되거나 구금되지 않는다.

제66조 국회의원은 국회에서 직무상 발언하거나 표결한 것에 관하여 국회 밖에서 책임을 지지 않는다.

제67조 ① 국회의원은 청렴해야 할 의무를 진다.

② 국회의원은 국가이익을 우선하여 양심에 따라 직무를 수행한다.

③ 국회의원은 그 지위를 남용하여 국가 · 공공단체 또는 기업체와의 계약이나 그 처분에 따라 재산상의 권리·이익 또는 직위를 취득하거나 타인을 위하여 그 취득을 알선할 수 없다.

제68조 국회는 의장 1명과 부의장 1명을 선출한다.

제69조 국회는 헌법 또는 법률에 특별한 규정이 없으면 재적의원 과반수의 출석과 출석의원 과반수의 찬성으로 의결한다. 가부동수일 때에는 의장이 결정한다.

제70조 ① 국회의 회의는 공개한다. 다만, 출석의원 과반수의 찬성이 있거나 국회의장이 국가의 안전보장을 위하여 필요하다고 인정할 때에는 공개하지 않을 수 있다.

② 공개하지 않은 회의 내용의 공표에 관하여는 법률로

정한다.

제71조 ① 국회의원과 국민은 법률안을 제출할 수 있다.

② 법률안이 지방자치와 관련되는 경우 국회의장은 지방의회에 이를 통보해야 하며, 해당 지방의회는 그 법률안에 대하여 의견을 제시할 수 있다. 구체적인 사항은 법률로 정한다.

③ 국민의 법률안 제출의 요건과 절차 등 구체적인 사항은 법률로 정한다.

제72조 ① 국회에서 의결된 법률안은 내각에 이송된 날부터 10일 이내에 대통령이 공포한다.

② 법률은 특별한 규정이 없으면 공포한 날부터 10일이 지나면 효력이 생긴다.

제73조 ① 국회는 내각을 불신임할 수 있다.

② 제1항에 따라 불신임하려면 국회 재적의원 3분의 1 이상이 발의하고 국회 재적의원 과반수가 찬성해야 한다.

③ 국무총리가 속한 정당의 국회의원은 불신임안을 발의하거나 찬성할 수 없다.

④ 제1항에 따라 불신임안이 발의되면 국무총리가 속한

정당의 국회의원은 불신임안에 반대한 것으로 간주한다.

⑤ 국무총리가 속하지 아니하고 국무부총리나 국무위원이 속한 정당의 국회의원이 불신임안을 발의하거나 찬성하려면 국무부총리나 국무위원을 정당에서 제명하거나 그 직을 사임시켜야 하며 이를 하지 않는 경우 제4항에 따라 반대한 것으로 간주한다.

제74조 ① 국회는 국가의 예산안을 심의하여 예산법률로 확정한다.

② 내각은 회계연도마다 예산안을 편성하여 회계연도 개시 100일 전까지 국회에 제출하고, 국회는 회계연도 개시 30일 전까지 예산법률안을 의결해야 한다.

③ 새로운 회계연도가 개시될 때까지 예산법률이 효력을 발생하지 못한 경우 내각은 예산법률이 효력을 발생할 때까지 다음의 목적을 위한 경비를 전년도 예산법률에 준하여 집행할 수 있다.

1. 헌법이나 법률에 따라 설치한 기관이나 시설의 유지·운영

2. 법률로 정하는 지출 의무의 실행

3. 이미 예산법률로 승인된 사업의 계속

④ 예산안의 심의와 예산법률안의 의결 등에 필요한 사항

은 법률로 정한다.

제75조 ① 한 회계연도를 넘어 계속하여 지출할 필요가 있는 경우 내각은 연한(年限)을 정하여 계속비로서 국회의 의결을 거쳐야 한다.

② 예비비는 총액으로 국회의 의결을 거쳐야 한다. 예비비의 지출은 차기 국회의 승인을 받아야 한다.

제76조 내각은 예산법률을 개정할 필요가 있는 경우 추가경정예산안을 편성하여 국회에 제출할 수 있다.

제77조 국채를 모집하거나 예산법률 외에 국가의 부담이 될 계약을 맺으려면 내각은 미리 국회의 의결을 거쳐야 한다.

제78조 조세의 종목과 세율은 법률로 정한다.

제79조 ① 국회는 다음 조약의 체결·비준에 대한 동의권을 가진다.

1. 상호원조나 안전보장에 관한 조약
2. 중요한 국제조직에 관한 조약

3. 우호통상항해조약

4. 주권의 제약에 관한 조약

5. 강화조약(講和條約)

6. 국가나 국민에게 중대한 재정 부담을 지우는 조약

7. 입법사항에 관한 조약

8. 그 밖에 법률로 정하는 조약

② 국회는 선전포고, 국군의 외국 파견 또는 외국 군대의 대한민국 영역 내 주류(駐留)에 대한 동의권을 가진다.

제80조 ① 국회는 국정을 감사하거나 특정한 국정사 안에 대하여 조사할 수 있으며, 이에 필요한 서류의 제출, 증인의 출석, 증언, 의견의 진술을 요구할 수 있다.

② 국정감사와 국정조사의 절차, 그 밖에 필요한 사 항은 법률로 정한다.

제81조 ① 국무총리, 국무부총리, 국무위원, 정부위원은 국회나 그 위원회에 출석하여 국정 처리 상황을 보고하거나 의견을 진술하고 질문에 응답할 수 있다.

② 국회나 그 위원회에서 요구하면 국무총리, 국무부 총리, 국무위원, 정부위원은 출석하여 답변해야 한다. 다만, 국무총리, 국무부총리, 국무위원이 출석 요구를 받은 경우 국

무부총리, 국무위원, 정부위원이 출석·답변하게 할 수 있다.

제82조 ① 국회는 대법원장, 부대법원장, 대법관을 해임할 수 있다.

② 제1항에 따라 해임하려면 국회 재적의원 과반수가 발의하고 국회 재적의원 3분의 2 이상이 찬성해야 한다.

제83조 ① 국회는 법률에 위반되지 않는 범위에서 의사와 내부 규율에 관한 규칙을 제정할 수 있다.

② 국회는 국회의원의 자격을 심사하며, 국회의원을 징계할 수 있다.

③ 국회의원을 제명하려면 국회 재적의원 4분의 3 이상이 찬성해야 한다.

④ 제2항과 제3항의 처분에 대해서는 법원에 제소할 수 없다.

제84조 ① 대통령, 부통령, 기타 법률이 정한 공무원이 직무를 집행하면서 헌법이나 법률을 위반한 경우 국회는 탄핵의 소추를 의결할 수 있다.

② 제1항의 탄핵소추를 하려면 국회 재적의원 3분의 1 이상 또는 국회의원 선거권자 10분의 1 이상의 찬성으로 발의

하고 국회 재적의원 과반수가 찬성해야 한다. 다만, 대통령과 부통령에 대한 탄핵소추는 국회 재적의원 과반수 또는 국회의원 선거권자 10분의 2 이상의 찬성으로 발의하고 국회 재적의원 3분의 2 이상이 찬성해야 한다.

③ 탄핵소추의 의결을 받은 사람은 탄핵심판이 있을 때까지 권한을 행사하지 못한다.

④ 탄핵결정은 공직에서 파면하는 데 그친다. 그러나 파면되더라도 민사상 또는 형사상 책임이 면제되지는 않는다.

第85조 국가의 세입·세출의 결산, 국가·지방정부 및 법률로 정하는 단체의 회계검사, 법률로 정하는 국가·지방정부의 기관 및 공무원의 직무에 관한 감찰을 하기 위하여 국회 산하에 감사원을 둔다.

第86조 ① 감사원은 원장을 포함한 9명의 감사위원으로 구성하며, 감사위원은 국회의장이 임명한다.

② 제1항에 따라 감사위원을 임명하려면 국회 재적의원 과반수가 발의하고 국회 재적의원 3분의 2 이상이 찬성해야 한다.

③ 감사원장과 감사위원의 임기는 4년으로 한다. 다만, 감사위원으로 재직 중인 사람이 감사원장으로 임명되는 경우

그 임기는 감사위원 임기의 남은 기간으로 한다.

④ 감사위원은 정당에 가입하거나 정치에 관여할 수 없다.

⑤ 감사위원을 해임하려면 국회 재적의원 과반수가 발의하고 국회 재적의원 3분의 2 이상이 찬성해야 한다.

제87조 감사원은 세입·세출의 결산을 매년 검사하여 다음 연도 국회에 그 결과를 보고해야 한다.

제88조 ① 감사원은 법률에 위반되지 않는 범위에서 감사에 관한 절차, 감사원의 내부 규율과 감사사무 처리에 관한 규칙을 제정할 수 있다.

② 감사원의 조직, 직무 범위, 감사위원의 자격, 감사 대상 공무원의 범위, 그 밖에 필요한 사항은 법률로 정 한다.

제5장 정부

제1절 내각

제89조 ① 행정권은 국무총리를 수반으로 하는 내각에 있다.

② 국무총리는 국회의원 중에서 국회 재적의원 과반수의 동의를 얻어 선출한다.

③ 국무총리가 사고로 인하여 직무를 수행할 수 없을 때에는 국무부총리와 법률의 정하는 순서에 따라 국무위원이 그 권한을 대행한다.

④ 국무총리가 국회의원의 직위를 상실할 경우 퇴직 된다.

제90조 ① 국무부총리와 국무위원은 국회의원 중에서 국무총리가 지명하여 대통령이 임명한다.

② 국무부총리는 국정에 관하여 국무총리를 보좌한다.

③ 국무위원은 국무회의의 구성원으로서 국정을 심의 한다.

④ 국무부총리와 국무위원이 국회의원의 직위를 상실할 경우 퇴직된다.

제91조 국무총리는 필요하다고 인정할 경우 국가 안위에 관한 중요 정책을 국민투표에 부칠 수 있다.

제92조 국무총리는 법률에서 구체적으로 범위를 정하여 위임받은 사항과 법률을 집행하는 데 필요한 사항에 관하여 국무총리령을 발(發)할 수 있다.

제93조 국무총리는 헌법과 법률로 정하는 바에 따라 공무원을 임면(任免)한다.

제94조 ① 국무총리는 국회가 내각을 불신임한 경우 국회를 해산할 수 있다.

② 제1항에 따라 국회해산을 결의하지 않는 한 내각은 10일 이내에 총사퇴해야 한다.

③ 국무총리는 국회가 내각을 불신임하지 않으면 국회를 해산할 수 없다.

제2절 국무회의와 국가자치분권회의

제95조 ① 국무회의는 내각의 권한에 속하는 중요한 정책을 심의한다.

② 국무회의는 국무총리와 15명 이상 30명 이하의 국무위원으로 구성한다.

③ 국무총리는 국무회의의 의장이 되고, 국무부총리는 부의장이 된다.

제96조 다음 사항은 국무회의의 심의를 거쳐야 한다.

1. 국정의 기본계획과 내각의 일반 정책

2. 선전(宣戰), 강화, 그 밖에 중요한 대외 정책

3. 헌법 개정안, 국민투표안, 조약안, 국무총리령안

4. 국회해산에 관한 사항

5. 내각 총사퇴에 관한 사항

6. 예산안, 결산, 국유재산 처분의 기본계획, 국가에 부담이 될 계약, 그 밖에 재정에 관한 중요 사항

7. 긴급명령, 긴급재정경제처분 및 명령, 계엄의 선포와 해제

8. 군사에 관한 중요 사항

9. 영전 수여

10. 사면·감형과 복권

11. 행정각부 간의 권한 획정

12. 내각 안의 권한 위임 또는 배정에 관한 기본계획

13. 국정 처리 상황의 평가·분석

14. 행정각부의 중요 정책 수립과 조정

15. 정당 해산의 제소

16. 내각에 제출되거나 회부된 내각 정책에 관계되는 청원의 심사

17. 합동참모의장·각군참모총장·국립대학교총장·대사 기타 법률로 정한 공무원과 국영기업체 관리자의 임명

18. 사립대학교총장직무대행의 임명

19. 사립대학교에 임시 이사 파견 결정

20. 그 밖에 국무총리나 국무위원이 제출한 사항

제97조 ① 중앙정부와 지방정부 간 협력을 추진하고 지방자치와 지방 간 균형 발전에 관련되는 중요 정책을 심의하기 위하여 국가자치분권회의를 둔다.

② 국가자치분권회의는 국무총리, 국무부총리와 지방 행정부의 장으로 구성한다.

③ 국무총리는 국가자치분권회의의 의장이 되고, 국무부총리는 부의장이 된다.

④ 국가자치분권회의의 조직과 운영 등 구체적인 사 항은 법률로 정한다.

제3절 행정각부

제98조 행정각부의 장은 국무총리의 제청으로 대통령이 임명한다.

제99조 국무총리 또는 행정각부의 장은 소관 사무에 관하여 법률이나 국무총리령의 위임 또는 직권으로 총리령 또는

부령을 발할 수 있다.

제100조 행정각부의 설치·조직과 직무 범위는 법률로 정한다.

제6장 법원

제101조 ① 사법권은 법관으로 구성된 법원에 있다. 국민은 법률로 정하는 바에 따라 배심원 또는 그 밖의 방법으로 재판에 참여할 수 있다.

② 법원은 최고법원인 대법원과 지방법원으로 조직한다.

③ 법관의 자격은 법률로 정한다.

④ 모든 법관은 임용시 국회의 동의를 받아야 한다.

⑤ 법관은 법률에 따라 선거할 수 있다.

제102조 ① 대법원에 일반재판부와 전문재판부를 둘 수 있다.

② 대법원에 대법관을 둔다. 다만, 법률로 정하는 바에 따라 대법관이 아닌 법관을 둘 수 있다.

③ 대법원과 지방법원의 조직은 법률로 정한다.

제103조 법관은 헌법과 법률에 의하여 그 양심에 따라 독립하여 공정하게 심판한다.

제104조 ① 대법원장, 부대법원장, 대법관은 법관인 자 중에서 국회 재적의원 3분의 2 이상의 동의를 얻어 선출한다.

② 제1항의 관하여 필요한 사항은 법률로써 정한다.

제105조 ① 대법원장의 임기는 4년으로 하며, 연임할 수 없다.

② 부대법원장과 대법관의 임기는 4년으로 하며, 연임할 수 있다.

③ 대법원장, 부대법원장, 대법관이 궐위된 경우의 후임자는 전임자의 잔임기간 동안 재임한다.

④ 법관의 정년은 법률로 정한다.

제106조 ① 법관은 국회 혹은 지방의회의 의결을 통한 해임 혹은 국민 심사에서 의하거나 금고 이상의 형을 선고받지 않고는 파면되지 않으며, 징계처분에 의하지 않고는 해임, 정직, 감봉, 그 밖의 불리한 처분을 받지 않는다.

② 법관이 중대한 심신상의 장해로 직무를 수행할 수 없

을 때는 법률로 정하는 바에 따라 퇴직하게 할 수 있다.

③ 국민은 법관을 소환할 수 있다. 소환의 요건과 절차 등 구체적인 사항은 법률로 정한다.

④ 제3항에 따라 소환을 받은 법관은 결과를 공표할 때까지 권한을 행사하지 못한다.

⑤ 대법원장, 부대법원장, 대법관은 임명 후 처음으로 행해지는 지방선거 때 국민의 심사를 부친다.

⑥ 국민의 심사에 부쳐진 법관에 대해 투표자의 3분의 2 이상이 법관의 파면을 찬성하는 경우 그 법관은 파면된다.

제107조 ① 법률이 헌법에 위반되는지가 재판의 전제가 된 경우 법원은 대법원에 제청하여 그 심판에 따라 재판한다.

② 제1항의 심판에 대해 법원은 대법원에 의견을 제출할 수 있다.

③ 명령 · 규칙 · 조례 또는 자치규칙이 헌법이나 법률에 위반되는지가 재판의 전제가 된 경우 대법원은 이를 최종적으로 심사할 권한을 가진다.

④ 재판의 전심절차로서 행정심판을 할 수 있다. 행정심판의 절차는 법률로 정하되, 사법절차가 준용되어야 한다.

제108조 대법원은 법률에 위반되지 않는 범위에서 소송에 관한 절차, 법원의 내부 규율과 사무 처리에 관한 규칙을 제정할 수 있다.

제109조 재판의 심리와 판결은 공개한다. 다만, 심리는 인권을 침해할 염려가 있거나 국가의 안전보장을 위협할 때는 법원의 결정으로 공개하지 않을 수 있다.

제110조 ① 대법원이 관장하는 다음 사안에 대해서는 대법관 3분의 2 이상의 찬성으로 결정한다.

1. 법원의 제청에 의한 법률의 위헌 여부 심판
2. 탄핵의 심판
3. 정당의 해산 심판
4. 국가기관 상호 간, 국가기관과 지방정부 간, 지방정부 상호 간의 권한쟁의에 관한 심판
5. 법률로 정하는 헌법소원에 관한 심판
6. 대통령 권한대행의 개시 또는 대통령의 직무 수행 가능 여부에 관한 심판
7. 그 밖에 법률로 정하는 사항에 관한 심판

제111조 ① 대법원 산하에 선거위원회를 두며 다음 사항을 관장한다.

1. 국가와 지방정부의 선거에 관한 사무
2. 국민발안, 국민투표, 국민소환의 관리
3. 정당과 정치자금에 관한 사무
4. 주민발안, 주민투표, 주민소환의 관리
5. 그 밖에 법률로 정하는 사무

② 선거위원회는 대법원에서 임명하는 9명의 위원으로 구성한다. 위원장은 위원 중에서 호선한다.

③ 제2항에 따라 대법원에서 위원을 임명하려면 국회 재적의원 3분의 2 이상의 동의를 얻어야 한다.

제112조 ① 선거위원회는 법률에 위반되지 않는 범위에서 소관 사무의 처리와 내부 규율에 관한 규칙을 제정할 수 있다.

② 선거위원회의 조직, 직무 범위, 그 밖에 필요한 사항은 법률로 정한다.

제113조 ① 선거위원회는 선거인명부의 작성 등 선거 사무와 국민투표 사무에 관하여 관계 행정기관에 필요한 지시를 할 수 있다.

② 제1항의 지시를 받은 행정기관은 지시에 따라야 한다.

제114조 ① 누구나 자유롭게 선거운동을 할 수 있다. 다만, 후보자 간 공정한 기회를 보장하기 위하여 필요 한 경우에만 법률로써 제한할 수 있다.

② 선거에 관한 경비는 법률로 정하는 경우를 제외하고는 정당이나 후보자에게 부담시킬 수 없다.

③ 선거운동에 드는 경비는 법률로 정하는 바에 따라 후보자에게 지원해야 한다.

제10장 지방자치

제115조 ① 지방정부의 자치권은 주민에 속한다. 주민은 자치권을 직접 또는 지방정부를 통해 행사한다.

② 지방정부의 종류와 구역 등 지방정부에 관한 주요 사항은 법률로 정한다.

③ 주민발안, 주민투표 및 주민소환에 관하여 그 대상, 요건 등 기본적인 사항은 법률로 정하고, 구체적인 내용은 조례로 정한다.

④ 국가와 지방정부 간, 지방정부 상호 간 사무의 배분은

주민에게 가까운 지방정부가 우선한다는 원칙에 따라 법률로 정한다.

제116조 ① 지방정부에 주민이 보통·평등·직접·비밀 선거로 구성하는 지방의회와 법률에 따라 구성하는 지방법원을 둔다.

② 지방정부의 조직과 운영에 관한 기본적인 사항은 법률로 정하고, 구체적인 내용은 조례로 정한다.

③ 지방행정부의 장은 법률 또는 조례를 집행하기 위하여 필요한 사항과 법률 또는 조례에서 구체적으로 범위를 정하여 위임받은 사항에 관하여 자치규칙을 정할 수 있다.

④ 지방법원의 장은 법률 또는 조례를 집행하기 위하여 필요한 사항과 법률 또는 조례에서 구체적으로 범위를 정하여 위임받은 사항에 관하여 자치규칙을 정할 수 있다.

제117조 ① 지방의회는 법률에 위반되지 않는 범위에 서 주민의 자치와 복리에 필요한 사항에 관하여 조례를 제정할 수 있다.

② 지방의회는 국회에 법률 제정을 건의할 수 있다.

③ 지방의회는 지방법원의 장을 해임할 수 있다.

④ 제3항에 따라 해임하려면 지방의회 재적의원 과반수가

발의하고 지방의회 재적의원 3분의 2 이상이 찬성해야 한다.

제118조 ① 지방정부는 자치사무의 수행에 필요한 경비를 스스로 부담한다. 국가 또는 다른 지방정부가 위임한 사무를 집행하는 경우 그 비용은 위임하는 국가 또는 다른 지방정부가 부담한다.

② 지방의회는 법률에 위반되지 않는 범위에서 자치 세의 종목과 세율, 징수 방법 등에 관한 조례를 제정할 수 있다.

③ 조세로 조성된 재원은 국가와 지방정부의 사무 부담 범위에 부합하게 배분해야 한다.

④ 국가와 지방정부 간, 지방정부 상호 간에 법률로 정하는 바에 따라 적정한 재정조정을 시행한다.

제11장 경제

제119조 ① 대한민국의 경제질서는 모든 국민에게 인간으로서 존엄과 가치를 보장할 수 있도록 균형있는 국민경제의 발전을 기함을 기본으로 삼는다.

② 국가는 경제의 성장 및 안정과 적정한 소득의 분배를 유지하고, 시장의 지배와 경제력의 집중과 남용을 방지하며,

여러 경제주체의 참여, 상생 및 협력이 이루어지도록 경제에 관한 규제와 조정을 하여야 한다.

③ 개인과 기업의 경제상의 자유와 창의는 사회정의의 한도 내에서 보장된다.

④ 국가는 경제적으로 어려운 계층의 경제력 발전을 위해 노력해야 한다.

⑤ 국가는 지방 간의 균형 있는 발전을 위하여 지방 공유 자산을 유지, 발전시키며 지방경제를 육성할 의무를 진다.

제120조 ① 국가는 국토와 자원을 보호해야 하며, 지속가능하고 균형 있는 이용·개발과 보전을 위하여 필요한 계획을 수립·시행한다.

② 자연자원은 모든 국민의 공동자산으로서 국가의 보호를 받으며, 국가는 지속가능한 개발과 이용을 위하여 필요한 계획을 수립하고 이를 달성하기 위하여 노력한다.

③ 광물을 비롯한 중요한 지하자원, 해양수산자원, 산림자원, 수력과 풍력 등 경제적으로 이용할 수 있는 자연력은 법률로 정하는 바에 따라 국가가 일정 기간 채취·개발 또는 이용을 특허할 수 있다.

제121조 ① 국가는 농지에 관하여 경자유전(耕者有田)의

원칙이 달성될 수 있도록 노력해야 하며, 농지의 소작제도는 금지된다.

② 농업생산성의 제고와 농지의 합리적인 이용을 위하거나 불가피한 사정으로 발생하는 농지의 임대차와 위탁경영은 법률로 정하는 바에 따라 인정된다.

제122조 ① 국가는 국민 모두의 생산과 생활의 바탕이 되는 국토의 효율적이고 균형 있는 이용, 개발과 보전을 도모하고, 토지 투기로 인한 경제왜곡과 불평등을 방지하기 위하여 법률이 정하는 바에 의하여 필요한 제한과 의무를 과한다.

② 국가는 토지의 공공성과 합리적 사용을 위하여 필요한 경우에만 법률로써 특별한 제한을 하거나 의무를 부과하여야 한다.

제123조 ① 국가는 식량의 안정적 공급과 생태 보전 등 농어업의 공익적 기능을 바탕으로 농어촌의 지속가능한 발전과 농어민의 삶의 질 향상을 위한 지원 등 필요한 계획을 수립·시행해야 한다.

② 국가는 농수산물의 수급균형과 유통구조의 개선에 노력하여 가격안정을 도모함으로써 농어민의 이익을 보호한다.

③ 국가는 농어민의 자조조직을 육성해야 하며, 그 조직의 자율적 활동과 발전을 보장한다.

제124조 ① 국가는 중소기업과 소상공인을 보호, 육성하고, 협동조합의 육성 등 사회적 경제의 진흥을 위하여 노력해야 한다.

② 국가는 중소기업과 소상공인의 자조조직을 육성해야 하며, 그 조직의 자율적 활동과 발전을 보장한다.

제125조 ① 국가는 안전하고 우수한 품질의 생산품과 용역을 받을 수 있도록 소비자의 권리를 보장해야 하며, 이를 위하여 필요한 정책을 시행해야 한다.

② 국가는 법률로 정하는 바에 따라 소비자운동을 보장한다.

제126조 국가는 호혜적이고 공정한 대외무역을 육성 하며, 이를 규제하고 조정할 수 있다.

제127조 민생이나 국방에 필요하여 법률로 정하는 경우를 제외하고는, 사영기업을 국유 또는 공유로 이전하거나 그 경영을 통제 또는 관리할 수 없다.

제128조 ① 국가는 기초 학문을 장려하고 과학기술을 혁신하며 정보와 인력을 개발하는 데 노력해야 한다.

② 국가는 국가표준제도를 확립한다.

③ 국가는 반지성주의를 배격해야 한다.

제12장 헌법 개정

제129조 ① 헌법 개정의 제안은 국회 재적의원 3분의 1 이상이나 국회의원 선거권자 50분의 1 이상의 찬성으로 한다.

② 대통령의 임기 연장 또는 중임 변경을 위한 헌법 개정은 그 헌법 개정 제안 당시의 대통령에 대해서는 효력이 없다.

제130조 ① 대통령은 제안된 헌법 개정안을 20일 이상 공고해야 한다.

② 국무총리는 제안된 헌법 개정안의 표결을 제헌의회에서 하고자 하는 경우 대통령에게 제헌의회 소집 건의를 할 수 있다.

③ 대통령은 국무총리가 제헌의회 소집 건의를 하면 이를 즉시 소집해야 한다.

④ 제헌의회 의원은 국민이 보통·평등·직접·비밀 선거로 선출하여 구성하되, 그 조직과 운영 기타 필요한 사항은 법률로 정한다.

제131조 ① 제헌의회는 소집 후 180일 이내로 존속 한다.

② 제헌의회가 소집되면 국회는 즉시 해산하며 국회의 모든 기능과 권한은 제헌의회로 이관된다.

③ 제헌의회가 소집되면 내각은 즉시 총사퇴하며 부통령이 국무총리를 대행하며 새로운 내각을 구성 한다.

④ 제헌의회는 재적의원 과반수의 찬성으로 법관을 파면할 수 있다.

⑤ 제헌의회는 대법원, 지방의회, 지방정부, 지방법원의 권한을 제한할 수 있다.

⑥ 제헌의회는 제안된 헌법 개정안이 표결에서 부결되면 헌법 개정안을 수정하여 표결에 다시 부쳐서 의결할 수 있다.

⑦ 제헌의회는 헌법 개정이 확정되면 새로운 헌법에 따라 구성된 국회의 최초 집회일 전일까지 존속하며, 헌법 개정이 국민투표에서 부결되거나 180일 이내로 의결하지 못하면 기

존 헌법에 따라 다시 국회를 구성하고 구성된 국회의 최초 집회일 전일까지 존속하며, 그 국회의원의 임기는 기존에 해산된 국회의원 임기의 잔여 임기로 하며, 나머지 헌법상의 기구도 기존 헌법에 따라 다시 구성한다.

제132조 ① 제안된 헌법 개정안은 공고된 날부터 60일 이내에 국회 혹은 제헌의회에서 표결해야 하며, 재적의원 3분의 2 이상의 찬성으로 의결한다.

② 헌법 개정안이 의결한 날부터 30일 이내에 국민 투표에 부쳐 국회의원 선거권자 과반수의 투표와 투표자 과반수의 찬성을 얻어야 한다.

③ 헌법 개정안이 제2항의 찬성을 얻은 경우 헌법 개정은 확정되며, 대통령은 즉시 이를 공포해야 한다.

III. 부칙

제1조 ① 이 헌법은 공포한 날부터 시행한다. 다만, 법률의 제정 또는 개정 없이 실현될 수 없는 규정은 그 법률이 시행되는 때부터 시행하되, 늦어도 2026년 8월 15일에는 시행한다.

② 제1항에도 불구하고 이 헌법을 시행하기 위하여 필요한 법률의 제정, 개정, 그 밖에 이 헌법의 시행에 필요한 준비는 이 헌법 시행 전에 할 수 있다.

제2조 ① 이 헌법이 시행되기 전까지는 그에 해당하는 종전의 규정을 적용한다.

② 종전의 헌법에 따라 구성된 지방자치단체, 지방의 회, 지방자치단체의 장은 이 헌법 제9장에 따른 지방의회와 지방행정부의 장이 선출되어 지방정부가 구성될 때까지 이 헌법에서 정하는 지방정부, 지방의회, 지방행정부의 장으로 본다.

③ 종전의 헌법에 따라 구성된 교육청과 산하 조직은 폐지되어 법률에 따라 지방정부에 통합되며 교육감과 교육의원은 직위를 상실한다.

제3조 ① 이 헌법 개정 제안 당시 대통령의 임기는 2026년 8월 14일까지로 하며, 중임할 수 없다.

② 이 헌법 개정 제안 당시의 대통령이 궐위되거나 사고로 인하여 직무를 수행할 수 없을 때에는 국무총리, 법률이 정한 국무위원의 순서로 그 권한을 대행하며 국무위원도 모두 궐위되거나 사고로 인하여 직무를 수행할 수 없을 때에

는 차관 중에서 최선임자가 그 권한을 대행한다.

③ 이 헌법이 시행되고 나서 부통령이 선출되기 전에는 국무총리가 그 권한을 대행한다.

④ 이 헌법이 시행되고 나서 국무부총리가 선출되기 전에는 국무위원 중 최선임자가 그 권한을 대행한다.

第4조 ① 이 헌법 개정 제안 당시 국회의원의 임기는 2026년 8월 14일까지로 한다.

② 이 헌법 개정 제안 당시 국회의원 중 비례대표 국회의원이 궐위된 경우 승계자를 기존의 법률에 따른 조항을 따르지 아니하고 각 정당의 대표자에 의해 지명받는 자가 승계한다.

第5조 ① 이 헌법 개정 제안 당시 대법원장, 대법관의 임기는 2026년 8월 14일까지로 하며 대법관 중 최선임자는 이 헌법에 의한 부대법원장으로 간주하며 임기는 2026년 8월 14일까지로 한다.

② 종전의 헌법에 따라 구성된 헌법재판소는 폐지되며 재판관은 직위를 상실한다.

第6조 ① 2022년 6월 1일에 실시하는 선거와 그 재·보궐

선거 등으로 선출된 지방의회 의원 및 지방자치단체 의장의 임기는 2028년 8월 14일까지로 한다.

② 2022년 6월 1일에 실시하는 선거와 그 재·보궐선거 등으로 선출된 교육의원은 이 헌법 시행과 동시에 그 직을 상실한다.

제7조 ① 이 헌법 시행 당시의 공무원은 이 헌법에 따라 임명 또는 선출된 것으로 본다.

② 이 헌법 시행 당시의 감사원장, 감사위원은 이 헌법에 따라 감사원장, 감사위원이 임명될 때까지 그 직무를 수행하며, 임기는 이 헌법에 따라 감사원장, 감사위원이 임명된 날의 전날까지로 한다.

③ 이 헌법 시행 당시의 감사원장, 감사위원의 임면권은 국회에 있는 것으로 간주한다.

제8조 ① 군사법원은 이 헌법에 따라 폐지한다.

② 군사법원에 계속 중인 사건은 법원으로 이관된 것으로 본다.

제9조 ① 이 헌법 시행 당시의 법령과 조약은 이 헌법에 위반되지 않는 한 그 효력을 지속한다.

② 종전의 헌법에 따라 유효하게 행해진 처분, 행위 등은 이 헌법에 따른 처분, 행위 등으로 본다.

제10조 이 헌법 시행 당시 이 헌법에 따라 새로 설치되는 기관의 권한에 속하는 직무를 수행하고 있는 기관은 이 헌법에 따라 새로운 기관이 설치될 때까지 존속 하며 그 직무를 수행한다.

제11조 이 헌법 시행 당시의 지방자치에 관한 규정은 이 헌법에 따른 조례, 자치규칙으로 본다.

제12조 이 헌법 시행과 동시에 사형 판결을 받고 집행되지 않은 자는 무기징역으로 감형한다.

서울과 아시아지역학 1

발행 2024년 05월 27일

지은이 대한아시아지역학연구회
발행처 주식회사 부크크
출판등록 2014.07.15. (제2014-16호)
발행인 한건희
주소 서울특별시 금천구 가산디지털1로 119 SK트윈타워 A동 305호
이메일 info@bookk.co.kr
전화번호 1670-8316
ISBN 979-11-410-8663-3

값 20,000원